YOUTH 经|典|译|丛 **08**
人猿泰山

团圆奇遇
Tarzan the Terrible

［美］埃德加·伯勒斯／著
毕可生　孙亚英／译

中国青年出版社

(京)新登字 083 号

图书在版编目(CIP)数据

团圆奇遇/(美)伯勒斯(Burroughs,E.R.)著;毕可生,孙亚英译.
—北京:中国青年出版社,2013.7
(人猿泰山系列)
书名原文:Tarzan the Terrible
ISBN 978-7-5153-1818-9

Ⅰ.①团… Ⅱ.①伯…②毕…③孙… Ⅲ.①儿童文学—长篇小说—美国—现代 Ⅳ.①I712.84
中国版本图书馆 CIP 数据核字(2013)第 172823 号

责任编辑：杜惠玲　谢肇文
封面设计：瞿中华

出版发行：中国青年出版社
社　　址：北京东四十二条 21 号
邮　　编：100708
网　　址：www.cyp.com.cn
编辑电话：010-57350504
门市电话：010-57350370
印　　刷：三河市君旺印务有限公司
经　　销：新华书店

开　　本：620×920　1/16
印　　张：16.5
插　　页：1
字　　数：170 千字
版　　次：2015 年 5 月北京第 1 版
印　　次：2015 年 5 月河北第 1 次印刷
定　　价：22.00 元

本图书如有印装质量问题，请凭购书发票与质检部联系调换
联系电话：010-57350337

猿语(泰山的母语)——中文对照表

动　物

巴拉——鹿

勃勒冈尼——大猩猩

布吐——犀牛

旦格——鬣狗

杜罗——河马

戈格——水牛

豪尔塔——野猪

吉姆拉——鳄鱼

库图——老鹰

努玛——雄狮

派可——斑马

盘巴——老鼠

沙保——母狮

吞特——大象

希斯塔——蛇

希塔——花斑豹

(　　　)——(　　　)

(　　　)——(　　　)

自　然

戈罗——月亮

库都——太阳

(　　　)——(　　　)

(　　　)——(　　　)

人

戈曼更——黑人

塔曼戈——白人

(　　　)——(　　　)

(　　　)——(　　　)

你还能找出多少来呢？

目 录

一	猿人	001
二	至死不渝	013
三	潘纳特丽	028
四	可怕的泰山	040
五	在三角恐龙地带	052
六	图尔欧顿	062
七	丛林妙计	074
八	阿卢尔城	082
九	血染的祭坛	091
十	紫禁园	099
十一	死刑宣判	111
十二	魁梧的外来人	121
十三	伪装者	130
十四	格雷夫的神殿	140
十五	国王晏驾	150
十六	秘密通道	161
十七	在金湖边上	168

十八	吐鲁的狮子洞	180
十九	丛林里的狄安娜	190
二十	夜色深沉	200
二十一	装疯	210
二十二	在格雷夫背上的旅行	222
二十三	生擒活捉	232
二十四	死亡的信使	241
二十五	归程	253

一
猿 人

像悄然无声的影子一样,一头大狮子在午夜的丛林里穿行,它的黄绿色眼睛瞪得圆圆的,向四周审视着;它的尾巴竖在身后,不时轻轻地摇摆几下,但没有声响;它低着头,整个身体是一种低伏的姿势。这一连串的动作,正是它们准备攻击猎物时的表现。丛林上的月亮,向这一片空地洒下如水的银光,树叶的影子斑斑点点地映照在地上。这时,狮子正避开这一明亮处,在阴暗的边沿地带前进。尽管这里尽是残枝败叶,但是它走在上面仍然无声无响,不会被平常人迟钝的听觉发现。

这时,在棕色狮子前面不过一百多步的地方,那个被狮子盯上的猎物并没有发觉身后的危险,仍静悄悄地走着。他并不像狮子那样有意避开这片有月光的空地,相反,他径直穿过这里,在月光的照射下,沿着一条曲曲弯弯的小路大步向前。但是,和后面尾随的那头"大猫"不同的是,他直立着身躯,他迈动着双脚,身体微微有些前倾。他的头上生着黑发,他的双臂线条明晰,而且从轮廓可以看出,肌肉丰满而有力。他手指细长而且五指分明,只是拇指几乎和食指一样长。他的双腿修直匀称,大脚趾向外侧伸出,几乎和其他脚趾成直角。

在这种美丽而明亮的银色月光下,这个像人一样的生物停下片刻,竖起耳朵,凝神倾听着周围的动静,似乎有所察觉。他抬起头,在月光下更清晰地显出了他匀称强健的体态。如果他走在人类的任何大城市里,他健美的身躯和丰满的肌肉都会使他成为一个引人注目的男子汉。可是,他是一个"人"吗?在月亮之神留下的一片银白绣帷笼罩下的丛林空地上,树上的观察者很难作出正确的判断。因为,他清楚地看到,在这个"人"的身后有一条没有一丝毛发的白色长尾巴!

他拿着一根大头木棒,从左肩上挂下来的一条带子上系着一把带鞘的短刀,腰上扎着一条带子,那上面挂着一个小袋子。而紧扎着他的兽皮短裙的却是一条在月光下闪着金光的宽腰带。腰带的正中在平常人们称作扣子的地方,装饰着一枚闪烁着宝石光芒的美丽的石头。若不是身后多了一根不相称的尾巴,从他这一身装束和整个身体的样子来看,泰山真要把他当作是非洲哪个部落或国度的王子了。

狮子一步步向他逼近,把他当作一个毫无警觉的猎物。不过后者并非全不在意。只要看他不断回头并东张西望,就可以觉察出他似乎已经发现了身后的危险。他并没有加快脚步跨过这一片空地,相反却拔出短刀握在手里,同时提起了大头木棒,做出了时时准备行动的姿态。

这时,那个人样的动物已走到丛林里一条长满荒草却没有大树的空旷地带。他迟疑了一下,迅速向后看了一眼,看来是想找一棵可以暂避一时的大树。但是显然有什么更必要的理由,促使他继续向前走了。在这段空旷地带的尽头,还有一棵更适宜于让他休息和避难的大树,所以他径直奔向那里。这种选择表明他并没有完全置自己的安危于不顾,而是觉得前面那棵大树,似乎更可靠些。但是,就在他离开了被他丢在后面这棵安全的"避难所"奔向下一个目标时,狮子从隐藏的草丛里发现这个猎物正处于一个无援的、易受攻击的位置,于是它竖起尾巴,向这个似人的生物发起了攻击。

两个月来——这两个月真是又长又恼人的时光——泰山历尽饥渴、艰难困苦以及失望的折磨,尤为甚者是他心灵深处急于寻找亲人的痛苦。自从人猿泰山从死亡的德国军官的日记里得知自己的妻子琴恩并没有死的消息以后,他就在同情他的英国西非情报部门的帮助下,调查到琴恩正被藏往非洲腹地。详情只有德国最高司令官才清楚。因此他开始了艰苦的追寻历程。据说琴恩是由德国中尉奥泊葛茨率领的一队德属土著士兵护送越境到刚果自由邦去的。

自从独自追寻以来,泰山总算找到了监禁过琴恩的土著村庄。但是据说她已经在几个月之前就逃走了,而且那个德国军官也同时失踪。此后的事,村子的酋长和武士们都说不清楚。即便是逃亡者的去向,泰山也只能从零星的东拼西凑的甚至有些矛盾的说法中,猜测一个大概。

这个村子里的土著人有吃人的习惯。他也在村子里发现了一些德属的土著军队遗弃的衣物和装备。由于担心琴恩有可能遭遇不幸,泰山在村子里做了多方面的调查。尽管酋长不高兴,泰山还是想办法查看了每座小草屋。通过这件工作令泰山又有了信心,因为他并没有发现任何有关琴恩的东西或痕迹。

离开了这座小村之后，泰山决定向西南方向寻找。历尽千辛万苦，他才穿过了一片干旱的荒原。那里极端缺水，只生长着一些带刺的耐旱植物，最后他终于进入了一处大概白人从来没涉足的地方。传说这附近曾有黑人的村落。这里地势多变，既有崇山峻岭和不缺水的高原地带，也有平原和沼泽。山、高原、平原并不难跋涉，只是那一片广袤的沼泽使他为难。经过好几天的艰苦努力，他才找到能穿过这一片恐怖地带的途径。有几天晚上，他甚至还看到叫不出名字的庞然大物在活动。这里也有河马、犀牛和大象，但是可以肯定，它们与他过去在别的地方见到的种类有明显差异。此外，这里一不小心就会陷入泥淖给自己带来灭顶之灾。

当泰山终于走过沼泽地带，站在坚实的土地上时，他才明白为什么这里能抵挡住不知多少个世纪以来外界英勇无畏的民族的入侵蚕食，保持了世外桃源般的宁静。

从获得的丰富的猎物品种和它们的一些变化看来，无论是天上飞的、地上跑的或是两栖爬行类，凡是能在这里找到的种类，它们都把这里当作一个躲避人类侵袭的避难所。因为即使是泰山非常熟知的种属，都保持着亿万个世代前的样子。

当然，这里也有一些杂种，例如一种黄色的、身上有黑色条纹的小狮子，它仍然是一种异常凶猛的野兽。它们好像是老虎偶然闯入这个非洲的闭塞地区，与狮子杂交而产生的物种。即使是这个古老世界里的纯种狮子，也比泰山在别处所熟悉的狮子小。这些狮子却正好是由于缺乏种属的杂交，而可能形成的退化的明证。

经过两个月的努力追寻，泰山没有发现什么痕迹能证明他的妻子曾经走过这个与世隔绝的美丽世界。然而,他在这地区的调查却又使他相信,如果琴恩还活着的话,那么她必定是从这里或是这个方向走出去的。她是怎样穿过他刚刚走过的沼泽地的?他简直无法想象。他相信最终会找到她,尽管这里是一大片广阔无垠的土地。这里有难以翻越的石山、湍急的溪流阻挡着行进的前路,而且泰山要时时利用他的智慧和巨大的膂力去和种种肉食动物进行殊死搏斗。

有许多次,泰山都和他最熟悉的狮子在争夺猎物。虽然有时是他、也有时是狮子抢先获得了他们的共同猎物,但是人猿泰山在这个地区却从没挨过饿,因为这里有丰富的猎物。动物啦,鸟啦,甚至鱼类啦都不缺乏。此外,还有丰富的野果以及绿色菜叶可供充饥。

泰山有时感叹,为什么在这样一个天然物产丰富的地区,却没有人类的足迹?所以到最后他只好归因于刺科植物覆盖的大片干旱荒原和处处潜伏着危机的沼泽,才使这里成为一个具有天然屏障的世外桃源。

经过一些时日的跋涉,泰山终于找到了穿过崇山峻岭的道路,来到了大山背后。这里和山前面一样物产丰富,而且这里水源似乎更为充沛。山下就有一湾溪水,淙淙流过。溪水穿过峡谷的山口流向远方。巧得很,下面的一株大树底下,就有一头鹿,恰像是欢迎泰山的到来,而为他送上可口的佳肴,泰山不费多少力气就把这顿美餐弄到了手。

现在已是黄昏时光,这里那里不时响起野兽觅食的吼叫。不过在峡谷里,人猿泰山似乎找不到更好的栖息地。所以,他扛起了吃剩的鹿肉,向峡谷外的平原走去。走出谷口就有一片树林。在泰山的眼里这确实可以称得上是一片大丛林,所以他径直奔去。中途,泰山发现他身旁就有一棵大树,正好适合做他的休息处。

在这里泰山饱餐了一顿新鲜鹿肉,它的味道当然非常鲜美。然后他把剩下的部分放到大树另一侧的远离地面的坚实枝丫上。接着他又回到他选定的休息处,酣然进入梦乡,不论是大狮子还是这里特有的小花狮子的叫声,他很快就都听不见了。

丛林里夜晚常规的吵闹声,一般是惊醒不了泰山的,但这时一阵不寻常的吵闹声却冲进了他的耳道,使他立刻警觉起来。尽管他已经在文明社会生活过,但是从小就养成的丛林生活习惯,使得他对这里的任何反常和危机都非常敏感。所以,虽然他在睡梦中,却仍然有一种潜意识的警备。这时正是皓月当空,突然一阵急促的脚步声穿过树下茂密的草丛。泰山和我们并不一样,他在觉醒后一瞬间,就会进入完全清醒的状态,绝不像我们还有一个短暂的朦胧状态。当他睁开眼睛时,他头脑的神经中枢使他能马上感知周围一切反常的事物或声响。

几乎就在他的下方,匆忙走过来一个(他一眼就看出了)裸体的白人身影。但也是一瞬间,泰山就看到那人身后竟垂着让人大吃一惊的长尾巴!更让泰山惊讶的是,在他的身后,还有一头紧追不舍的狮子。他们之间的距离是那么贴近,几乎近到无法阻止这头大猫去猎取它的猎物的地步。尤其危险的是,现在这头狮子已经全力发起了进攻!悄然无声地捕捉,悄然无声地杀戮,人猿泰山对狮子发起全力攻击时的这种不声不响的追杀太熟悉了，它就像影子似的向目标扑去，然后一下子结束这场追逐的悲剧。

就在泰山睁开眼，看到下面的一幕景象时，就在他的直觉转成理智的一瞬间，他立刻就作出了判断和决定，一下子跳了起来，而下一个瞬间他已经在下落的半空中了。因为，他看到一个和他差不多的白人正被他的宿敌追捕着，处于极端危险的境地。他们之间的距离太近了，以至于泰山都没有时间考虑和选择进攻的方式，就像跳水一样，从高枝上一头扎了下去。他右手握着那把杀死过多头猛兽的猎刀，一纵身跳到了狮子面前。就在他刚刚站稳时，狮子的前爪猛地在他赤裸的大腿侧面抓出了几道伤痕。但泰山一个侧身就跳到狮子的背上，用猎刀一次次地从侧面插进狮子的身体。

这时那个像泰山一样的生物却一丝也没有趁机逃走的意思。他并没有愣在那里，而是马上就明白了眼前发生的一切，他虽然现在较安全了，但却举起手中的大头棒，帮着泰山攻击起狮子来。他一棒就打中狮子的头部，这一下猛击，让这身上已中了数刀的猛兽立刻昏倒在地。于是泰山也就腾出手来，径直向狮子的心脏部位刺去。中了致命的一刀后，经过一阵抖动和痉挛，这个肉食大王终于一命呜呼了。

这时，泰山像过去多次成为胜利者时一样跳起身来，一脚踏在狮子的尸体上，昂头向着月亮发出了一声尖利的震动山林的长啸。这一声突如其来的叫声，使那个像人一样的生物不由得向后退了几步。可是等泰山把猎刀插进刀鞘再看他时，他却显得严肃而镇定，并没有不安的样子。

有好一阵,他们互相打量着,然后那个像人一样的生物开始说话了。尽管泰山从他连续的声音中推断出这是一种语言,但却是泰山从没听到过的语言。尽管如此,对于他表现出的某种理智的姿态,泰山却是能够认同的。换句话说,在泰山面前的这个生物,虽然有一条尾巴,长着像猴子的脚趾,但是在其他方面,都表现出他是一个可以叫作"人"的生物。

这时,从泰山大腿一侧流下来的血引起了这个人的注意。他从挂在身上的袋子里掏出一个小口袋,打着手势叫泰山躺下,表示要给泰山医治这道伤口。然后,他把一种粉末状的东西洒在泰山的伤口上。

泰山立刻感到一阵剧痛,这可比他本来的伤口还要疼痛得多。但是泰山对于身体上的痛苦一贯都是忍受得住的。说来也怪,只一小会儿,他伤口的血和疼痛一起都止住了。

为了回答对方的那种令人不快的语言,泰山试着用他知道的各种声音语言去对话,包括非洲内地一些部族的话语,甚至大猿的语言也试过了,可对方都听不懂。最后对方看到他们之间无法沟通,便走到泰山面前,把左手放在自己的胸前,把右手放在泰山的胸前。泰山立刻明白了,是一种友好的表示。这在未开化的种族中是常有的动作。因此,泰山也就做了同样的动作。他的回应使这个新相识非常高兴,接着这个人又说了一些泰山听不懂的话,最后就向树上指了指,又指指他自己的肚子。

这下泰山又明白了他的意思,于是点点头,并做了手势,邀请他的这位新客人共享他剩下的美味——鹿肉。他的客人马上露出了高兴的神情,转身向大树走去,像一只猴子一样,借助他的长尾巴，直跳上树去，并立刻爬到放鹿肉的树枝上。这个猿人吃东西的时候不声不响，而且用他锋利的小刀，把鹿肉切成一小块一小块的放进嘴里。泰山坐在对面的树杈上看着整个过程，感到对方很文雅。在这一刻，泰山甚至忘了他还有一条似乎不相称的尾巴和那特殊的脚趾。

泰山说不准对方是否代表一种陌生的种族，抑或只是一个有返祖现象的人。不论是哪种解释，都只能说，他面前是一个千真万确的人。这个人不但有善于栖息于树上的脚趾和帮助他在树上蹿跳的尾巴，而且还佩戴有黄金饰物，那上面镶嵌有宝石。这些绝对是高超技艺的产物。不过，这些东西究竟是这个人的作品，还是他同族人做的，甚或是来自其他族人的，泰山不得而知。

在泰山作着各种猜测的时候，他的客人已经吃饱了。他用从树上摘下来的一把叶子把自己的嘴唇和手指擦得干干净净，然后抬起头来带着一种满足和感激的微笑看着泰山。这时，泰山发现他有一排整齐而好看的白牙。他的犬齿几乎和泰山的一样长。然后，他又说了些什么，泰山估计是一些感谢的话。接着他就找了一处安适的枝杈睡觉去了。

大约到了下半夜，泰山忽然被一阵树身的晃动所惊醒。当他睁开眼时，他发现他的伙伴也醒过来了，并且四下张望查看。人猿泰山终于惊恐地发现了大树晃动的原因。

在朦胧中，一个巨大的黑影正用身躯摩擦着树干，从而使得大树不停地摇晃起来。这个庞然大物走近大树，居然使泰山一点也没觉察到，这倒让他有点迷惑不解。树下的黑影像是一头大象，但在黑暗中，泰山又觉得这东西比他看见过的任何大象都要大得多。从轮廓看来，它足有十几英尺高，而且它的背上有一道突起的刺，就好像它的每一根脊柱都长出体外成角状，从而形成一个锯齿形的脊梁。它的其余部分在黑暗中看不清楚，泰山只是从它的气味嗅出，它有一种大爬虫类的腥气。现在，它正在饱餐泰山在上半夜杀死的狮子。

正当泰山睁大眼睛惊奇地在黑暗中望着下面的时候，他感觉背上有人轻轻地拍了一下。泰山转头一看，正是他的伙伴，把食指竖着放在嘴上，示意泰山不要出声。接着就拉住泰山的胳膊示意泰山，他们应该立刻离开这里。

泰山知道自己是处在一个完全陌生的国度，而现在扰乱他们安宁的，却又是一个他根本不了解的大家伙，现在最明智的办法，就是听从新朋友的意见。因此，他俩小心翼翼地从这个庞大的夜食者对面轻轻地跳下来，悄然无声地在黑暗中向前面的平原走去。尽管人猿泰山对这样悄然离去很不情愿，尤其是面对这样一个他从来没有见过的，好像是大蟒蛇似的家伙；但是他也深深懂得不应该作无谓的冒险，这是在丛林或异域生活的起码常识，何况现在自己身边还有一个新交的、熟悉这里情况的朋友！

当东方升起的太阳驱走了夜间的黑暗时，泰山发现他们已经来到了大丛林的边缘。这时他的向导却一头扎进了树丛，敏捷地跳上树去，手脚并用，加上他那根长尾巴的帮助，迅速向前跳去。

正当他们一起向前奔走时，泰山忽然想起自己的伤口。他低头往腿上看了看，让他吃惊的是，伤口不仅一点痛感也没有，而且没有任何炎症，竟连红肿也消失了。这无疑是他的伙伴昨天洒上的那点粉末的效果。

他们大约走了两英里,泰山的朋友就从树上跳下来,走到一处草坡上。这里还有一条清澈的小溪。他们在这里喝了一阵水。泰山觉得这里的水不仅甜美可口,而且冰凉。可以肯定它是从近处一道瀑布里淌下来的。

泰山不由得想进小溪中洗个澡,于是解下狮皮围裙和武器,一下子跳进水里。直到他洗得浑身都很舒服,而且肚子也有些发饿时,才爬上岸来。这时,他忽然注意到他的伙伴正以一种迷惑不解的目光盯着他的身体。他走过来,扶住泰山的肩膀,推着他转了个身,然后用食指摸着泰山的尾椎,把自己的尾巴从背后翘到肩膀上,并用手指着它,向泰山发出一连串他的那种喊喊喳喳的语言。

泰山大体上理解了他的意思——他的伙伴发现他原来是天生没有尾巴的。所以泰山又进一步让他看自己的脚趾和手指,让他的朋友明白他们是不同的种族。

他的这个朋友看了以后,惊奇得不住摇头,好像不理解为什么泰山和会他有这样的区别。直到最后,他也只好耸耸肩表示无可奈何,然后也脱了身上的穿戴,跳到水里去洗澡了。

他不一会儿就洗完,穿好了他的一切,坐到溪边一株大树下,示意泰山坐到他身边来。他从挂在右面的口袋里拿出几条肉干,又抓出两把泰山没见过的薄皮坚果来,示意泰山和他一块儿享用。泰山也学着他的样子用牙咬开了坚果的薄皮,发现果仁很大,而且非常好吃。倒是那些干肉条因为缺少咸味,使他觉得很不可口。泰山认为,也许是当地没有腌制条件的缘故吧。

他一面吃着，一面听那位朋友说着什么，泰山觉得这是教给他这些东西和周围事物的名字。泰山对此只是报以微笑。因为他十分明白这是他的新朋友想要和他达成进一步的思想交流，正在耐心地教他。学了一阵之后，泰山才发现他的这个新朋友的语言，和他所接触过的任何种类的非洲语言都不相似。

他俩对早餐和他们的教学十分投入，以致他们谁也没有注意到，就在他们的上面，有一对小眼睛正注视着他们，甚至连泰山也没警觉附近还有什么危险。就在这时，一个浑身是毛的高大的身体，突然从树上向泰山的新伙伴扑去。

二
至死不渝

这时候，泰山看那落下来的生物的外貌和体态，与自己的伙伴大致相同，所不同的是他全身长着黑毛，甚至连脸上都是毛茸茸的一片黑。他手里所拿的武器，也和泰山那位伙伴的一样。泰山见他怀有敌意，正想上前拦阻他，谁知这满身黑毛的家伙手非常快。只一瞬间，泰山的伙伴头上已经挨上重重的一棍，只见他双腿一软，就晕倒了。

泰山见势不妙，唯恐伙伴再吃亏，就一个箭步跳到他俩跟前。那个长黑毛的生物也很厉害，见泰山过来，就直向泰山扑来，想用他的手指卡泰山的脖子，而另一只手举起木棍，向泰山头上狠狠打来。泰山的体力当然比他强，动作也比他灵活，只向旁边一闪身，就躲开了。泰山随手给了他一拳，打得他东倒西歪。接着，泰山的手像闪电一样快，掐住了对方的喉咙，另一只手抓住他拿木棍的手腕。泰山抬起腿，在他膝盖后面猛地踢了一脚，他经不住这一下，不由自主地跪倒在地上。泰山趁势把他按住，重重压在黑毛生物的身上。

那个黑毛生物经泰山这一拳、一脚、一压，手里的木棍掉在了地上。泰山的手很快就掐住了他的咽喉。两个人都使出全身的

打了一阵之后，他们两个终于滚到一个大水坑的边上。

力气，在地上扭打成一团。那个家伙不住地用拳头打泰山，可是泰山十分灵活，每一下都躲过了；而泰山的每一拳都实实在在地打到那黑毛家伙身上，他简直成了拳击手练拳的沙袋。两个人在地上翻来滚去，一会儿泰山压在他身上，一会儿他又压在泰山身上。当泰山掐住他喉咙的时候，他发出一种似咳非咳的声音；有时泰山的脖子在一小段时间里被他掐住了，也会发出同样的声音。两个人都边打边怒吼着，一时难分胜负。打了一阵之后，他们两个终于滚到一个大水坑的边上，这时泰山正压在他身上，并想把他推入水中，即使淹不死他，也会把他弄成个落汤鸡，使他再没有力气打人。

泰山正要动手推时，突然瞥见晕倒的伙伴身后有一只杂种雄狮。它的样子非常凶猛，张着嘴，露出可怕的利牙，正盯着晕倒的伙伴，打算要吃他。这时，被泰山压在身下的黑毛家伙也看见了那头雄狮，立刻停止了和泰山的打斗，并且对泰山说了许多话，泰山虽然听不懂，但大概是要求停战的意思。泰山不愿自己的伙伴被狮子吃掉，便停下手，两个人一块儿站了起来。

泰山抽出猎刀，慢慢走近那个晕倒的伙伴，他以为那个长黑毛的家伙一定会趁此逃走。没想到他没有逃，反而拾起掉在地上的木棍，走到泰山身边，和泰山一起往前走。他这一举动令泰山感到意外，但此时泰山要全力对付雄狮，所以没有时间和精力去理会他。

那雄狮伏在那里一动不动，只是张着嘴，摇着尾巴，它距离躺着的那个长尾巴的白人大约有五十英尺。当泰山走到躺着的伙伴身边时，忽然看见他的眼皮在微微颤动。知道他并没有死，泰山喜出望外,心里在暗暗庆幸。

泰山没有停步,继续向狮子走去,那个满身黑毛的猿人,也紧跟在他身后。当他们和狮子相距不到二十英尺时,狮子就开始向他们进攻了。它进攻的目标是那个黑毛猿人。那黑毛猿人立即抡起木棍,向狮子迎过去。泰山这时却更迅速地向狮子跳去,灵活得像一只猫一样。只见他右手勾住狮子的脖颈,左手抱住狮子的左前爪,将狮子压倒在地上滚来滚去,这样打了有好几分钟。狮子拼命想从泰山手里挣脱出来,泰山却始终不松手。泰山毕竟是自幼生长在丛林里的,和凶猛的动物搏斗已经不知有多少次了。他经验丰富,精力充沛,动作自如,狮子渐渐敌不过他了。泰山用力夹住狮子的后腿,使狮子不能动弹。此时泰山手脚都用上了,也腾不出手来置狮子于死地。泰山盘算着怎样才能出奇制胜,他想了一会儿,忽然跳下狮背,用手揪住狮子的头颈,让狮背贴在自己胸前,这样,狮子就没有抵抗能力了。

那长黑毛的猿人见狮子已无力抵抗了,就举起短刀,刺进狮子的胸口。狮子痉挛了一阵。不大工夫,泰山松开手,只见狮子四肢直挺挺的,一动不动地死了。泰山和黑毛猿人站在狮子的两边,四目对视着,谁也不出声。

泰山站在那里不动,想看看黑毛猿人下一步要干什么,他猜不出黑毛猿人是要跟自己讲和呢,还是要和自己继续打斗。过了一阵,见他伸出了两只毛茸茸的黑手,左手放在他自己胸前,右手放在泰山的胸前,泰山明白这是友好的表示,因为在这以前,那白色猿人已经向泰山这样做过了。泰山觉得这两个奇怪的生物能向自己表示友善,在这荒蛮的环境里倒是好事,万一遇到什么事，总比自己一个人对付好。泰山也立刻对他做了同样的表示，然后转过头来，看看那白色猿人。只见他居然坐起来了，正在看着自己。那白色猿人慢慢站了起来，这时，那黑毛猿人也渐渐走到他身边，两个人似乎都忘了刚才那一木棒。刚才黑毛猿人把白色猿人打晕了，但如今两个人竟面对面聊了起来。看来他俩越谈越近乎了。

泰山站在旁边，虽然听不懂他们在说什么，但觉得很有趣。他们往前走几步，嘴里还在讲着话，其间还不断回过头来向泰山点点头。泰山猜想，他俩所说的一定和自己有关。后来他们也彼此按着胸口，表示讲和与友好。接着，他俩又一同走到泰山面前，十分诚恳地对泰山诉说着什么。后来，他们见泰山怎么也听不懂，觉得十分失望，叹了几口气，一同转身走了。他们向泰山做着手势，泰山看那意思，是要自己和他们一同走。

于是泰山就跟着他们走。他们三个人走的这条路，好像从前没有人走过，这倒引起了泰山的好奇，很想探明这个地方到底是怎样的一个区域，以及这些很近似于人的生物是怎么生活的，说不定这些对于自己寻找琴恩会有一些帮助。

他们走了几天，越过许多小山，路上有时还碰见了野兽。到了夜晚，泰山还常常看见一些凶猛的巨兽，可他们三个人倒没有受到伤害。有一天，他们走到了一个很大的山洞前，那山洞位于一个悬崖的下面，悬崖下有一条河，河水潺潺地流过，灌溉着四周的平原和低洼的沼泽地。他们认为这山洞做个临时休息的地方倒挺合适。泰山一路上学着他们的语言，因他天资聪颖，所以学得很快。现在到了山洞里，更可以静止下来专心地学了，学习效果也比路上好。他们看看山洞里面,好像以前有人住过,因为洞里还留有用石块堆成的炉灶,四周石壁上和洞顶上有被煤烟熏过的痕迹,乌黑乌黑的。仔细看石壁上,有的地方有弯弯曲曲的象形文字,还有些图形,仔细辨认,似乎是一些奇异的飞禽走兽,还有一些爬虫类。这些动物似乎是远古时代的,现在已经没有了。泰山的两个伙伴不但能读懂这些象形文字,还能用刀尖在石壁的空白处继续刻出这种象形文字。

泰山越观察这两个伙伴越觉得他们神秘。他们之中的一个全身长着黑毛,外型更接近野兽,但他们不但有语言,而且还有文字。泰山为了进一步了解他们,就更加用功学习他们的语言,以期尽快弄清他们的来历。没过多久,泰山就学会了许多常见的动植物名称,以及一些日常的生活用语。

泰山和他们混熟后,也知道了他俩的名字:那个白色的,全身无毛有尾巴的猿人,名叫塔丹,他非常耐心地教泰山说他们的话;那个长黑毛的有尾猿人,名字叫欧马特,他也很愿意教泰山说话。他们轮流做泰山的语言教师,空闲的时候就来教泰山。泰山学得非常用心,没用多少时间,就渐渐能够和他俩流利地对话了。泰山于是把自己到这里来的目的详细告诉了他们,这两个人回忆了一阵,觉得没有什么线索可以向泰山提供。他们都说,在他们的地界里,没有见过泰山所说的这样一个女人,因为他们从来没见过不长尾巴的人,更不用说不长尾巴的白种女人了。

塔丹说:"我从阿卢尔城(意为光明城)出来之后,记得月亮已经被吞吃过七次了,在这段时间里,国里又发生过什么事,我也不知道。但是依我推测,你的女人绝不会冒险到我们国里来。因为到这里来要经过好多艰难险阻,而且还有泥泞的沼泽,连我们走到那里都非常不容易,何况她是一个女人!她怎么受得了这么辛苦的跋涉?就是我们那里的女人,也不敢出城到这荒无人烟的地方来。"

泰山用英文自言自语地说:"阿卢尔城,阿卢尔城,就是光明城的意思,是的,光明的城。"他又问他俩:"阿卢尔城在哪里?是你们以前住过的城吗?是塔丹和欧马特所共有的城吗?"

塔丹说:"阿卢尔城是属于我的,不是欧马特的。欧马特属于华丹族,他们没有城市,只住在丛林里的树上,或是山上的石洞里。我说得对吗,欧马特?"他边说边回过头来问坐在旁边的欧马特。

欧马特似乎有几分不高兴,好像塔丹小看了他的种族,于是以辩解的口吻说:

"我们华丹人喜欢自由,不像他们荷丹人总把自己关在城里。老实说,我不是白人,别以为只有你们白人才高贵!"

泰山听着他们斗嘴,觉得非常好笑,看这一白一黑两个人,虽然都有尾巴,但还是有种族之见。从他们的生活习性等多方面看来,应该说分不出什么高低贵贱来,可是看他们斗嘴的情况,那白色猿人似乎总以为自己高明些,脸上总带着高黑人一等的骄傲的微笑。

泰山又问塔丹:"阿卢尔城到底在什么地方? 你打算回去吗?"

塔丹向山上指了指说:"阿卢尔城在那座山的背后,我……我现在还不愿意回去。但我也不打算永远在外边漂流,只是现在戈坦还没有死，我当然不愿意回国。"

泰山不解地问："戈坦是谁?"

塔丹说："戈坦是我们的国王，就是我们那个地方的统治者。我本来是他身边的一个武士，可是我和他的女儿欧拉恋爱了，本来，我和欧拉之间的感情是纯洁的，是光明正大的，但是戈坦偏偏横加干涉，不许我和他女儿恋爱。那时候，有一个叫达苛特(意为肥尾巴)的村落与我们国家对抗，戈坦就命令我去作战，讨伐达苛特。他认为达苛特部落的士兵都非常凶猛，我带兵去征讨，绝不是他们的对手，一定会被他们杀死。我当然得受命前去，哪想到我不但没被敌人杀死，而且大获全胜，还得了许多战利品回来，达苛特人都做了我的俘虏。这样一来，戈坦的目的没有达到，他更不高兴了。我打胜仗回来之后，欧拉公主更加爱我，她非常钦佩我的英勇善战。我的父亲约东，你知道吗?约东在我们的话里，就是狮人的意思。我父亲也非常勇武善战，他是阿卢尔城外一个大部落的酋长。他也怕戈坦，不敢公然庆祝我凯旋，只好对我微笑一下。由于这种微笑不是由衷的，只不过是脸上的肌肉抽动一下罢了，所以看起来令人难受。我想我拼死拼活地战胜归来，理应得到奖赏，我最希望的奖赏就是得到欧拉。但是，我却怎么也得不到戈坦的女儿，因为戈坦把欧拉公主许配给布洛特了。布洛特是莫撒的儿子，莫撒也是个酋长，他的曾祖父曾经是个国王，所以他总觊觎王位。戈坦把女儿嫁给莫撒的儿子，两家成了姻亲，其实这是拉拢他的一种手段。这一下可苦了我和欧拉。记得有一位哲人说过，有时婚姻也是政治行为，这话真是千真万确。"塔丹沉思了一会儿，继续说，"戈坦这个人，也真称得上老奸巨滑,我打了胜仗,为国立了功回来,他如果不奖赏我,在众人面前也是说不过去的,于是他想了个绝妙的办法,让我做非常荣耀而又有尊贵地位的祭司。按照我们国里的风俗,祭司是有很高威望的,甚至国王和酋长见了祭司都必须行礼。看起来戈坦给我的奖赏似乎不低,其实这里面有非常歹毒的一个用意,因为按我国的规定,祭司是绝对不许结婚的。"

塔丹用悲伤而低沉的声音说:"这件事的来龙去脉,还是欧拉找机会偷偷告诉我的,她说她父亲已经下令,在国家的宗庙里布置了一切,并且已经派人到处找我,要我去见他。我知道,如果我不去做祭司,不但违抗了国王的命令,更严重的罪名是藐视神明,这可是要处死的。我不想去见戈坦,这实际上已经算是违抗了。本来,我和欧拉都想过逃走,最好是远走高飞,可是欧拉的公主身份却令她很难逃脱。而我,在城里多待一天就多一分被搜寻到的危险。反正我决心不当祭司,这当然就犯下了死罪,所以我只能撇下欧拉独自逃走。"

泰山和欧马特都问他:"那么,你是怎么逃出来的呢?"

塔丹说:"晚上,我躲在王宫里的一棵大树下等欧拉来,好向她最后道别。我怕碰见那个搜寻我的差官,只好在树下躲躲闪闪的,后来欧拉来了,我们难分难舍地道了别,最后我亲了她一口,就急忙爬出宫墙,向黑暗中逃去。走到城门口,守城的卫兵盘问我,我报上我的姓名和官阶,那个卫兵不知道底细,只听说过我是刚打完胜仗回来的将军,就客客气气地放我出来了。我出了城,就赶快逃走。后来离城市越来越远了,我渐渐觉得生命安全了。可是我心灵深处却时时刻刻记挂着欧拉,总像有一股无形的力量把我往回拉。我非常非常想回去,哪怕隔着宫墙和我日夜想念的欧拉说上几句话也是好的。同时,我也想念我的父母,不知他们现在怎么样了。我也想念自幼生我养我的那片故土!"

泰山说:"你想回去的心情是可以理解的,可是万一被他们抓住,不是太危险了吗?"

塔丹说:"回去当然是危险的,可是你知道,焦虑和思念也是很煎熬人的,况且,我回去想要做的事不见得没有希望,也许不一定像预想的那么危险,神灵保佑我,我总有一天要回去的。"

泰山说:"你有这么大的决心,我很感动,那么,让我陪你一同回去,好吗?同时,我也想去看看这座光明城,还想去寻找我的妻子,尽管你认为她不大可能在城里,可是我总得去找一找才放心。欧马特,你也愿意跟我们一起去吗?"

欧马特说:"当然。你俩都走,我为什么不跟你们一块儿走呢?我的部落就在阿卢尔城上头的那个峻岭上。我的酋长埃萨特怕我夺他酋长的位置,把我赶出来了,其实他那个酋长的地位我根本没看在眼里。我之所以想回去,是因为我心爱的姑娘潘纳特丽还在那里,我心里放不下她,总想回去看看,她一定也在盼着我回去。好,现在我决定跟你们一块儿走。潘纳特丽是我心里最重要的目标啊!酋长算什么!"

泰山说:"那太好了,咱们三个人就一块儿走。"

塔丹拔出刀来,高高地举过头顶,大声说:"咱们三个人今后同心协力,团结得就像一个人一样。"

欧马特也拔出刀来,像塔丹一样,高高举过头顶,嘴里也说着同样的誓词:"三个人等于一个人!"

泰山见他俩都发了誓,于是也拔出刀来,在日光下挥舞着,大声说:"从今往后,我们三个人合力同心如一人,至死不渝!"

欧马特一提到回去,气就不打一处来,怒吼道:"我们要走就快去吧!我的刀已经渴了,正需要埃萨特的血来给它解解渴!"

于是塔丹和欧马特在前面领路,泰山紧跟在后面。山路崎岖不平,很不好走,好像这里本来就应该是山羊、猴子和鸟儿们的领地,人类不应该到这里来一样。他们三个人只好慢慢地、艰难地往前走。他们到了一片丛林的前面,但见满地都是腐烂的枯枝落叶。由于土壤肥沃,荆棘也比别处生得多,他们只有拿刀砍开一条路来,前进非常困难。

他们好容易走出了丛林,又来到一条山谷前。山谷上的石头光溜溜的,三个赤着脚的人很不容易踏稳,不比走刚才的荆棘路容易。这种路,欧马特似乎走得更熟练些。他领着泰山和塔丹越过山谷,来到一座悬崖顶上。悬崖下面有一条河流,悬崖与河面相距有二千多英尺,他们小心翼翼地走过去,终于到了一块平坦的地方。欧马特回过头来看看他俩,尤其注意看了看人猿泰山,说:"你俩真勇敢,做华丹族欧马特的伙伴,可以说当之无愧!"

泰山有点不解地问:"你说这话是什么意思,难道原先你以为我们不配做你的伙伴吗?"

欧马特说:"我说了实话你们两位不要生气,我不是有意捉弄你们,而是故意领你们走这条路,想测验一下你们的胆量。这条路原是我们酋长埃萨特用来测验年轻武士勇气的地方。我们自幼生长在这里,经常见这些崇山峻岭,我们称这里为巴斯得乌拉维德山,意思就是父亲之山。但在我们部落里,不是人人都能顺利通过这座山的。在这悬崖下面,不知堆积着多少白骨,这些死者,就是父亲之山的手下败将。"

塔丹听了之后,笑道:"我虽然顺利地走过来了,可我还是不愿经常走这样的路。"

欧马特说:"这条路虽然险峻,倒也有个好处,它是抄了近道的,我们大约可以少走一天的路程。再过去不远,泰山!你就可以看见被称为天神山谷的地方了。来!你俩跟我来!"他说着,就顺着山冈往上爬。忽然,下面出现了一个美丽的山谷,一片苍翠的绿色映衬着白色的山崖,湖水和蜿蜒的河流,都是蓝宝石色的。

就在这万绿丛中,有一座城池,城墙是白色的,跟四周悬崖的颜色一样。这座城的城墙实在是太美丽了,甚至连它的构造也很有艺术性。城外有房子,有单幢的、双幢的,还有三幢的,另外也有少数是四幢连在一起的,式样虽然不一样,颜色却都是白的。

山谷中的河流从悬崖上流到绿色的大地。泰山用刚学来的语言喃喃地说:"天神山谷!天神山谷!可真是个美丽绝伦的地方啊!"

塔丹指着那座城说:"那里就是阿卢尔城,戈坦就住在城里,他就是那座城的统治者。"

欧马特说:"你们看,这山谷里就是华丹族的住处。华丹人不愿受戈坦的统治,可以说,他们不承认戈坦是领袖。"

这时塔丹忽然笑了,并且耸了耸肩膀,对欧马特说:"我们不用说这些了,荷丹与华丹两个民族之间,本来就存在着很多芥蒂,多少年来,也没有能够达成一个和平协定。仅举一件事做例子吧:我们荷丹人很齐心,全城在两个领袖的领导之下,遇有外敌来侵略时,我们能够团结一致进行抵抗。但是你们华丹族怎么样呢?你们有十多个酋长,彼此不服气,不但不能同心协力抵御外敌,有时还要自相残杀。你们的部落不论和谁发生了战争,都不能全力对外,必须留一部分武士在家里,用来保护没有抵抗力的妇女和小孩,免得邻族乘虚而入,欺侮他们。譬如说,我们的宗庙里缺少奴隶了,或者田里缺少耕作的人了,我们就可以结队到你们部落里去捉些人来,你们不敢反抗,也没有力量反抗。你们的内部,彼此都是仇敌,我们利用这一点,所以捉你们的人很容易。把你们的人捉到我们王宫里去,给我们当奴隶。我说句不客气的话,你们华丹人资质太愚笨,所以我们荷丹人才能统治整个这块地方。"

欧马特想了想,说:"你这话虽然不中听,却也有一定道理。我们的部落中,的确有些人并不聪明,都以为自己酋长统治下的一部分人是最伟大的,彼此都妄自尊大,都想统治整个华丹,结果反而闹得四分五裂,各存异心。不过,你也不能光看见我们的缺点,你总不能不承认,我们的武士是很勇敢的吧?"

塔丹听了,不屑地笑了笑说:"算了吧!别夸你们的长处了,一个不团结的民族,谈什么勇敢?若谈整体战斗力,你们比荷丹族差远喽!"

泰山怕他们这样争论下去伤了和气,忙劝阻说:"算了,算了,我们之间没有必要争论短长,民族和个人都一样,各有优点,也各有缺点,我们不要争了。刚才塔丹有一个道理说得很对,那就是同心协力就可以增强力量。咱们三个人,不也应该团结得像一个人吗?那就不要指责对方的短处了。我很希望了解你们的国情和宗教,现在请你们告诉我,你们供奉的神灵和祭神的仪式,是一样的吗?"

欧马特大声说:"我们供奉的神灵是完全不同的。"从他的声音听来,他似乎有点不高兴。

塔丹也忙不迭地嚷道:"当然不一样,你想怎么会一样呢?谁会跟那般蠢……"

泰山不等他说完,便打断说:"算了,不谈这个了。我们不要争吵,也别再提什么政治和宗教的不同处。让我们谈点别的,好不好?"

欧马特附和着泰山说:"到底你是个明白人。但是我还想说一句,凡是神灵,都必然是长着一条尾巴的。"

塔丹急了,脸红脖子粗地跳了起来,手按着刀说:"胡说!这可是亵渎神灵了!真神从来都是没有尾巴的!"

欧马特也急了,横眉怒目地跳过去说:"住嘴!"泰山一看,这二人大有要打起来的架势,就迅速跳到他俩中间说:"怎么了?刚发过的誓言就忘了吗?咱们三个人要团结得像一个人,我们要把誓言坚守到底。"

这时塔丹已经平静下来,说:"不错,欧马特!咱们谁也不应该破坏誓言。关于国家与部落的事,咱们争吵也没有用,谁能改变得了多年形成的现实呢?"

欧马特说:"是啊!但是……"

泰山赶紧说:"欧马特!别说了!没有什么'但是'。"

欧马特无可奈何地耸耸肩说:"我们到山谷去吧!打那边过去,到了东边角落的山洞里,就是我们华丹族的住处了。我一定要去看看我的潘纳特丽。塔丹也该去探望一下阿卢尔城外山谷下的父母,如果能混进阿卢尔城去,当然要去看看欧拉姑娘。不知她现在被逼成婚了没有,我想,她若真心爱你,无论如何都不会结婚的。等等!我们该怎么走?"

塔丹说:"我们三个人不要分开,依旧在一块儿。你,欧马特,要看潘纳特丽,最好在夜里偷偷地去,不然我们三个人难以抵挡埃萨特的众多武士。至于我到我父亲阿卢尔城外的村落一事,不论什么时候都可以,因为我父亲是酋长,他的部下必然欢迎他的儿子带着朋友回去的。至于泰山要到阿卢尔城去,这倒要谨慎考虑。我知道一条路,难走而且危险,不过,从这条路走倒比较安全,因为不容易被城里的人发现。来!我们低声些,这里离庙宇已经不远了,须提防隔墙有耳。若是被别人听见,就坏了咱们的事啦。"说着,他就凑在泰山和欧马特的耳朵旁,嘀咕了一阵。

正在这时候,大约在一英里以外,有一个小小的黑点在蠕动着。那是一个人,他行动非常轻快敏捷,身上披着一张狮皮,正行进在那片荆棘丛生的干涸的平原,同时还用他敏锐的眼睛和鼻子,向四下里看着、嗅着。

三
潘纳特丽

深沉的夜色笼罩在帕鹿顿的大地上,一弯月牙已经渐渐沉到了西方。西斜的月光照在白色的悬崖上,显得清幽而美丽。旁边的地方名叫柯鹿峡,意思就是狮子谷。那里月光照不到,非常黑暗,是属于埃萨特部落的。

这时,在悬崖附近的山洞里忽然出现了一个浑身长着浓毛的人。他先探出头部,继而把肩部露出来,瞪着两只凶恶的眼睛,向四周扫视着,他就是华丹族的酋长埃萨特。他向上下左右张望着,生怕有人看见他。其实,那时周围一个人也没有。别说是人,任何生物也都没有。山洞里的人似乎都睡着了,没有任何人走到山洞外边来。埃萨特看清楚了这些,才从山洞里钻出来,站在悬崖上。西斜的月光照在他毛茸茸的身体上。他在悬崖上举步往前走,他的面部表情非常怪异,在凶悍之中带着几分诡诈。他攀着从山洞里伸出来的木桩走。他走路的方法很特别,不单纯用四肢,而且连身后的长尾巴也用上了,就像一只老鼠往高墙上爬一样。当遇到山洞时,他不是从上面绕过去,就是从下面绕过去。很显然,他想做一件事,却怕别人看见。

那些山洞从表面上看去,似乎都是一个样子的,没有多大差别。其中有一个洞,长约十英尺,高八英尺,深度约有六英尺,洞穴深陷在白色的石壁中,好像一间房屋外的走廊。在它的后面,还有一个更大的洞口,像一条甬道,可以通往内室。两旁还有许多像窗户一样的小洞,可以使空气流通,白天也可以让阳光照进来,这些都适合人居住的需要。山洞上面也有几个小洞,很像是天窗。如果从峭壁上往下看,真像是一个大蜂房。在许多小洞中,有细细的水流向下流淌,水流经过的石壁,都已经产生了凹槽,有的地方有几英寸深,有的地方将近一英尺深了,可见水流在这里冲刷的历史有多么久远了。

埃萨特走到这个洞口,静静地听了一阵,才轻轻地走进去。走到通往内室那条路的时候,他又停住脚步静听一阵,然后撩起兽皮门帘走了进去。里面是一间较大的房间,房间的尽头还有一扇门,门边点着一盏灯,光线却非常暗淡。埃萨特更加小心地往里走,他的一双光脚板,踏在地上一点声音也没有。他颈项上挂着一条皮带,皮带上拴着一根短木棒,此时他已把木棒拿下来握在手里,时时防范着。旁边是一条走廊,走廊上一共有三道门,走廊的两端各有一道门,另外一道门对着埃萨特进来的地方。有一束光线从他左面的那道门里射出来,门里面还有一间石屋,屋的中间有一张石桌,也可以说是石凳,因为它的高矮介于桌凳之间。它的四条石腿是和地面的石头连在一起的。石桌上面,放着一件小小的石器,因为离得远,看不清是什么。在屋子的另一角,还有一张石桌,这张桌子较大,约四英尺宽,八英尺长。桌上铺着许多一英尺长的兽皮,在这个桌旁,坐着一个华丹族的青年女子。她的一只手里,拿着一个很薄的黄金制造的东西,一边呈齿状，还装饰着许多短毛，好像是一把刷子，她正在用这个东西，梳理自己身上又黑又亮的毛发，一件黄黑色的狮皮衣，正搭在一张睡椅上，那件衣服上钉着黄金的纽扣。她现在虽然光着身子，露出全身乌黑的长毛，有点近乎兽类，可是在华丹族中，她还要算一个出色的美女。

埃萨特馋涎欲滴地偷窥着她的美容，轻轻地走进房里，快步向她走去，眼里露出贪婪的目光。她用惊恐的眼光看着他，立刻抓起皮衣披在身上。埃萨特一声不响，脚步却没有停住，一直向她走去。她虽然明知他的来意，却还是低低地问了一句："你来干什么？"

埃萨特说："潘纳特丽！你应该感到荣幸，你的酋长是专为你而来的。"

潘纳特丽说："怪不得你把我的父亲和兄弟都派遣得远远的，去探查什么高卢尔，原来你把他们支走，就是为了这个。你听着，我决不会要你，你快离开我这个祖传的山洞！"

埃萨特并不生气，反而笑了笑，笑声中充满着妄自尊大，说："美人儿命令我走，我当然可以走，不过，潘纳特丽，我不会一个人走的，你得和我一块儿走，跟我到尊贵的酋长埃萨特的山洞里去。你怎么不放明白些？整个山谷里的女人，酋长一个也没看上，唯独看上了你，她们谁不羡慕你呢？还不快跟我来？"

潘纳特丽说："不！我不会跟你走的，你快走开，我恨你！即使你要我嫁给敌人荷丹族人，我都可以考虑，但是决不会嫁给你，你自己不知道吗？你惯于玩弄女性，残杀婴孩。你别妄想我会嫁给像你这样的一个人，即使你身为酋长，我也不会嫁给你，你死了这条心吧!"

埃萨特这一下可真被她惹火了,他恼羞成怒地喊道:"你这个杂种,你再倔,我可要对你不客气了!你以为我不会收拾你吗?你别忘了埃萨特是有权力的,顺我者昌,逆我者亡!"说到这儿,他停了一下,喘了一口气又说,"你还是顺从地跟我到酋长的山洞里去,说老实话,我看中了你,是你的福分,别人盼得要死,还得不到酋长的垂青呢!"

说着,埃萨特就要伸手去抱潘纳特丽,潘纳特丽急忙抓起金护胸,打在埃萨特头上。这一下打得很重,埃萨特一下躺倒在地上晕了过去。潘纳特丽一直盯视着他,过了一会儿,看他有点要苏醒的样子,就又重重地给他一下,再度把他打晕过去。潘纳特丽这时又急又怕,呼吸急促,长着黑亮毛发的胸口急遽地起伏着。她忽然注意到了埃萨特的佩刀,心里一动,急忙把埃萨特的佩刀连同刀鞘一齐解下来,挂在自己身上。然后急忙穿好衣服,看了看埃萨特还没有醒来,就赶快逃往外室。

外室的走廊门边有一个壁龛,壁龛里面放着许多圆木棒,每根长度有十八英寸到二十英寸。潘纳特丽匆匆选了五根,捆在自己的长尾巴上,然后向外面走去。她走到山洞外面,见四下没人,就急忙攀上悬崖上原有的木桩,一直爬到最高处,但这里还没有到悬崖顶。

她解下捆在尾巴上的木棒,插在悬崖间的洞里,继续往上爬,她用四肢和尾巴,交替把木棒往上移动。快到崖顶的时候,崖顶的边缘上正好有一株老树,它的一部分根就露在岩石的外面。她抓住树根,攀上崖顶,这里好像是上崖顶的最后一级台阶。这悬崖顶本来是华丹族人逃生的一条小道。他们村中,一共有三条这样的小道,可供逃难之用。这条路在平时是不大利用的,只有在最紧急的时候才偶尔利用,可以说这是不得已的逃生之路,因为这路太危险了。潘纳特丽深知,与其死在埃萨特手里,或落在他手里受他蹂躏,还不如冒一次生命危险的好。

她来到悬崖上时,四周还处在黑暗之中。她不顾危险,摸着黑向前逃去。这里距山谷约有一英里,地名叫作高卢尔。高卢尔的原意就是水之谷,也就是埃萨特派她的父亲和兄弟们去刺探消息的地方。她想一直往前走,或许有希望碰见他们。即使碰不见,在不远的几里路之外,就是格雷夫地带,即三角恐龙出没的沙漠地带。她逃到那里,只要不遇上可怕的怪物,就可以暂时隐藏起来。高卢尔这边洞中的人们,因为害怕那种怪物,都陆陆续续逃走了,弄得这里杳无人迹。于是他们用那怪物的名字给这地方命名,这地方就几乎成了那怪物的领地了。

潘纳特丽沿着高卢尔的边缘走,希望能找到她的父亲和兄弟。她心中惊慌,辨不出方向,吓得心惊肉跳。她在黑暗中祈祷着慌忙前行。任何一种声音都让她感到恐怖,有时声音好像从山顶上来的,有时又好像是从山下面来的。她定神一听,原来是一头雄性三角恐龙在那里咆哮,她不禁打了一个寒战。接着,她又听到了另一种声音。她侧耳细听,觉得一个什么生物正顺着山谷走来,而且是从上面往下走的。她停住了脚步静听着,希望来者是她的父亲,或是她的某一位兄弟。声音越来越近了,她不敢动弹。她睁大眼睛,在黑暗中看着,几乎连呼吸都屏住了。不一会儿,她看到两道黄绿色的光束在黑暗中闪烁着,原来那是一头狮子的两只眼睛。

潘纳特丽本来是个勇敢的姑娘,可是处在这种孤立无援的境地中,毕竟还是害怕的。前面肯定不会只遇见这一只狮子,也许还会碰到别的野兽;自己身后,也许不久就会有酋长的追兵。她想来想去,除了逃跑之外,没有别的办法。她认为当务之急是逃开狮子的爪牙,如果飞奔,狮子当然会追她。这时,狮子已经快要向她扑来了。潘纳特丽转身向左奔去,无意间发现了一条新路。狮子虽然紧跟在后面,却没有发现它的猎物怎么会突然失踪了。狮子奔到她陡然消失的地方,那里却是一个深峡。那狮子暴怒起来,站起身对着下面的黑暗处狂吼了一阵。

再回来说泰山、塔丹和欧马特三个人。他们摸黑走过了狮子谷,欧马特在前面领路,向他们华丹族居住的山洞走去。泰山和塔丹在后面跟着,他们走到靠近峭壁的一棵大树前,欧马特突然站住了。

泰山问欧马特为什么不走了,欧马特低声说:"首先,我要到潘纳特丽的山洞去,见过潘纳特丽之后,再去探望我的父母。我在他们那里不会多耽搁,你们就等在这里,我很快就会回来的。"

欧马特说完,就悄悄走到峭壁下面,顺着山壁向上爬去。泰山看他在绝壁上爬行,又快速又顺利,就好像苍蝇在墙上爬行一样。那时因为天黑,泰山无法看见绝壁上有木桩。欧马特爬行得十分小心,因为他知道下层的山洞里一定会有哨兵把守。虽然这时夜已很深了,但哨兵不会都入睡。他唯恐稍一大意惊动别人。他必须很快赶到潘纳特丽的山洞里去,不能让泰山和塔丹在下面等得太久了。

他迅速地抓住木桩,极快地攀登上去。

泰山疑惑不解地问："他是怎么往上爬的呢？我看悬崖峭壁上没有搭脚的地方啊，他怎么能爬得那么快？"

塔丹指着石壁靠下部分的木桩给泰山看，说："这没有什么诀窍，如果让你爬，你也照样能爬得这么快，别看你缺少一条长尾巴。"

泰山和塔丹等在下面，目送着欧马特接近潘纳特丽的山洞。四周还是静悄悄的，毫无动静，没有一个人发觉欧马特的到来。可在这时，稍下一些的一个山洞口里的哨兵似乎听到了声响，探出头来看了看。那时欧马特都快要爬进洞口了。泰山和塔丹一看情况不好，不敢耽搁，必须赶快往上爬。塔丹脚快，几步就赶到了峭壁下，只见他迅速抓住木桩，极快地攀登上去。这时泰山也已赶到，看见峭壁上的木桩一排排地向上延伸，一直到很高的地方。他向上一跳，攀住了最低的一根，两只手交换着抓紧木桩，转眼间也爬高许多。泰山是第一次用这种方法攀爬峭壁，但他毕竟体力好，身体又灵活，尽管速度及不上塔丹，但也相差不多。塔丹从小生长在这里，爬惯了这种峭壁，加上还有一条长尾巴帮助他，自然比泰山快。泰山一直没有停顿，总是紧跟在塔丹的后面。他俩都在担心同一件事，就是当他们爬到半途时，那哨兵喊叫起来。他若一喊，就会有无数哨兵从各个洞里出来，那么，欧马特就非被捉住不可了。只过了一小会儿，他们最担心的事果然发生了。那哨兵高喊一声，震动了沉寂的山谷，于是，有好几百人在洞里回应着，紧接着，众多武士都从各个山洞里跳了出来。

那个高声喊叫的哨兵，拿着木棍站在洞口拦住塔丹的去路。另一些武士也从四周包抄过来。泰山奋力追上塔丹，以便助他一臂之力。当他安全地爬上来时,就和塔丹并肩,站在他的左面。他看目前的形势,敌众我寡,处境实在危险。泰山抬头一看,自己的左面有个山洞,也许山洞里的人还没醒来,但他此时确实出于情急,忽然想起一个主意,猛地闯进了那个洞里。他把自己的长绳绾了一个活结,对准那个拦住塔丹去路的哨兵掷去,活结正套在他的脖子上。泰山急忙收紧绳子,那哨兵挣脱不开,只惊叫一声,身子便悠荡在半空里了。泰山站稳脚步,看着他挣扎了好一会儿。待他死后,泰山便把尸体丢在一边。

华丹的武士见泰山掷出绳索缢死了哨兵,吓得目瞪口呆,不敢动了。只有其中一个武士昂首挺胸,高声叫着,作出一副无畏的样子,要向泰山进攻。同时他还呼唤着同伴一同来打泰山。眼看这一群人要靠近泰山了。其实,泰山早就想好了收拾他们的一个主意,只等他们走近身边再动手。他猛然间高举起那个哨兵的尸体,发出一声人猿的长啸,把那个尸体对准向上爬的武士扔去。这一招可真厉害,死尸砸在武士的头上,不但使武士摔死了,同时还砸断了几根木桩。那个武士被砸得跌落下去时,不由得高喊了一句:"甲得格鲁顿!"意思就是"可怕啊!"其他的武士们也齐声呐喊着:"杀死他!杀死他!"

这时,泰山来到塔丹身边,说道:"刚才那个人喊的'甲得格鲁顿'是什么意思?"

塔丹笑了起来说:"'甲得格鲁顿'是可怕的意思,他们说你是个可怕的人。这次搏斗,他们即使杀死你,也不会忘记你是一个可怕的人物。你给他们留的印象太深了,'甲得格鲁顿'这句话,他们是不轻易使用的。"

泰山说:"他们杀不了……哎!那是什么?他们在那里干什么?"泰山这句话还没说完,便看见两个人影扭打在一起。他们打得非常厉害,已经滚到山洞口的路上了。仔细一看,这两个人中的一个是欧马特,另一个也生得和欧马特一样强壮,身上的黑毛似乎比欧马特的更硬,好像从皮肤里突出来的一层猪鬃一样。他俩的体力看上去也不相上下,两个人拼命搏斗,可是谁也不叫喊,只有在每次受了伤的时候才低哼一声。泰山跳过去,想帮着欧马特杀死那个人。

欧马特发出一种很粗壮的声音对泰山说:"这场战斗是属于我一个人的,让我自己来应付,你不要插手!"

泰山听了,不便上前帮忙,就站在一旁观战。

塔丹对泰山解释说:"这是一场争夺酋长席位的战斗,欧马特的对手我虽然不认识,但肯定是埃萨特酋长。如果这次欧马特不靠外力相助,一对一地打死埃萨特,那么,欧马特就是华丹族的酋长了。"

泰山不由得微笑起来,因为他想起这也正是丛林里的法则,他们喀却克族的大猿,也是凭这种办法选出王位继承者的。这时有一个华丹的武士,把脸从旁边露出来,泰山恐怕他跳过去助战,刚要拦阻他,塔丹却比泰山还快地跳到他面前,叫道:

"这是酋长的争夺战,别人不许插手!"那武士看了一眼正在决斗的两个人,又回头看了看另外的武士,他高声叫道:"大家都退远些,这是酋长的争夺战,是埃萨特和欧马特两个人的战斗。"然后,他又回头看了看泰山和塔丹,问道:"你俩是谁?"

塔丹说:"我们是欧马特的朋友。"

那个人点点头，说："等一会儿我再来和你俩说话。"

酋长争夺战还在继续着，泰山和塔丹只能做旁观者，但见两个人不是用手打，就是用脚踢，或者用长尾巴抽打对方，泰山和塔丹也无辜地挨了几下。埃萨特手里没有武器，他的腰刀早被潘纳特丽拿走了。欧马特身边有一把刀，但他腾不出手来去抽刀。再者，按他们部落的规矩，凡是酋长位置的争夺战，只能空手打，不能借助于武器，所以欧马特即使有机会，也不能去拔刀，否则这场酋长争夺战就算无效。

打斗中，有时欧马特和埃萨特也暂时分开一会儿，但这仅仅是一刹那的时间。突然间，埃萨特占了上风，他抱住欧马特，把他按在悬崖的边缘上，很想把对手推下去。泰山真替欧马特担心，幸而欧马特紧紧抱住埃萨特不放，胜负的形势不断在改变着。两个人扭在一起，又滚到悬崖边上了，竟一同滚了下去，泰山不由得轻轻地惊呼一声，他深恐欧马特丢了命。泰山和塔丹都急忙奔到悬崖边往下看，他们都以为悬崖这么高，在黑暗中跌下去一定会丧命。但天色刚刚放亮，向下看去，大出泰山的意外，他非常庆幸地看到他俩都还活着。他们并没有跌到崖底下，而是落在峭壁的中间一块凸出的地方，那里离悬崖顶大约只有几尺光景。

两个人还在继续打。欧马特到底比酋长年轻，耐力比埃萨特强，渐渐地占了优势。埃萨特渐渐只有招架之功，没有还手之力了。欧马特找了一个机会抓住埃萨特，把他推到悬崖边上，用拳头拼命打他的胸口。一向非常威武的埃萨特现在感到胆怯了，他似乎预感到死神已经来到眼前，但他还是死命地抓住欧马特不放，以便使自己不跌下去。在这危急关头，埃萨特却不顾华丹族一贯的规矩,为了保命,他要下毒手了。突然,他把尾巴甩到欧马特的腰刀柄上,卷住了腰刀,想要把它拔出来。

　　泰山一看,马上识破了埃萨特的企图,他要用欧马特的腰刀杀死欧马特。这时泰山急忙纵身跳到了两个人的旁边。埃萨特这时正想抽刀刺死他的对手,在崖顶上的武士们也看得清清楚楚,一齐高声大喊,表示不平和对埃萨特的轻蔑,但他们的动作却比泰山迟钝。这时泰山一伸手,抓住了埃萨特卷刀的尾巴,欧马特趁机一用力,把埃萨特往崖下一推,这个满身硬黑毛的酋长竟翻着筋斗滚到崖下去了。随着一声绝望的惊叫,埃萨特跌得粉身碎骨。

四
可怕的泰山

泰山和欧马特打败了埃萨特之后,一刻也没停留,立刻走到潘纳特丽的山洞前,和塔丹会合在一起。他们以为那些武士见杀了酋长埃萨特,心里和手上都作了准备。与此同时,太阳已经升起来了,阳光照着附近的平原。平原上有一个睡着的青年,被阳光晒醒。他一骨碌爬起身来,顺着一条曲折的小道急忙走去。看他走得那样急切,像是在寻找什么目标。

山谷又恢复了沉寂,武士们都站在山崖上,向下望着酋长的尸体,又彼此望一望,最后大家的眼睛却转向了欧马特。同时看看站在欧马特身边的两个异族人,大家都一声不响。最后,欧马特打破沉默,对大家说:"我是欧马特,现在我杀了埃萨特,你们之中,谁不服从我当酋长?谁敢说欧马特不是狮子谷的酋长?胆敢不服的尽管站出来!"

欧马特说完,神情十分镇静,他在等着大家作出反应。有一两个年纪稍大一点的武士瞪着欧马特,露出烦躁不安的神情,似乎有什么话想说,但是又紧闭着嘴唇,一声不响。

欧马特环视了一下大家,说:"既然你们都不说话,那就等于默认了我是古恩得(即酋长)了。那么,现在告诉我,潘纳特丽在哪里?她的父亲、她的兄弟们都在哪里?"

一个上了点年纪的武士说:"潘纳特丽也许在她自己的山洞里,你进去看看就知道了。她父亲和兄弟到高卢尔探听情况去了。你问的这些问题,都不是我们心里想的最重要的问题。现在我们心里倒有一个问题,欧马特要当酋长,我们拥护,但是你旁边站着一个荷丹族人和一个没有尾巴的人,这却不行!按照咱们华丹族的老规矩,应该把这两个人交给我们,用华丹族的方法处死他们。如果不这样做,欧马特也当不成华丹族的酋长。"

泰山和塔丹默默地站在一边,什么也没有说,他们只是在观察,看欧马特打算怎么办。泰山的脸上浮起了微笑,塔丹却明白这老武士说的话——华丹族向来不容异族的俘虏在华丹族生存,若遇到这种情况,的确必须处死。

欧马特面容非常严肃地考虑了一会儿说:"宇宙间的万事万物,从来没有不发生变化的。就拿帕鹿顿山来说吧,你们看着它在那里纹丝不动,其实它也在起着变化。大自然里的日月星辰、风云雨雪,都随时发生变化。再拿我们人类来说,从生到死,每天都在不停地变化。变化,是真神的法律。现在我欧马特是你们的酋长,我定的规矩在华丹族里就是法律。法律是人定的,为什么不能由人来修改呢?今天,我就要作一点改变,以后再有陌生人来到我们这里,只要他是勇敢的,又真心和我们做好朋友,我们华丹族就不必杀死他们!"

武士们听了,发出一阵低低的嘘声和议论声,有的还显出不安的样子,面面相觑,希望有一个人挺身而出,来反对欧马特新立的规矩,他们认为祖传下来的规矩都是不可更改的。

欧马特看了这情况,又高声说:"住嘴!停止你们的抱怨和议论。要知道,现在我是你们的酋长,我说的话就是法律。我知道你们心里不赞成我当酋长,过去,你们曾经帮助埃萨特把我从祖传的山洞里赶走,老实说,我对你们只有愤恨,没有感激。现在,我不许你们违背我的法律,你们要我杀这两个人,我是决不会答应的。我是酋长,假如你们有人不服,可以站出来和我争个高低,有哪个不怕死的站出来!"

泰山很满意。欧马特竟敢力排众议,慷慨陈词。再看那边,武士们果然静了下来。欧马特这一番强硬的说辞使他们屈服了,谁都不敢再多说一句。欧马特最后说:"我当你们的酋长,会是个好酋长的。你们的妻子、儿女,可以平安地度日。在埃萨特当酋长的时候,他们不是常处于危险之中吗?他看上了谁的妻女,就占为己有;他不如意时,就滥杀无辜,而我决不会这样做。好了,现在都散开吧!各自去打猎。我也要去找潘纳特丽了。我再说一句,你们大家都听着,现在我当众任命阿邦做我的代理酋长,当我不在这里的时候,大家必须像服从我一样地服从他。等我回来时,考查他的成绩,以定赏罚。"

他转身向泰山和塔丹说:"你们两位,我的朋友,现在可以在我的人民中间自由行动,绝对没有谁敢伤害你们。我祖传的山洞,就让给你们住。你们觉得满意吗?"

泰山说:"不必如此,我们随便有个住处就行了,祖传的山洞还是你自己住。现在,我愿陪你一同去找潘纳特丽,路上万一有个什么事,也好有个帮手,你看如何?"

塔丹说:"那么,我也一同去吧!我们说过三个人要同心协力

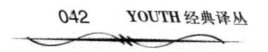

的。找到潘纳特丽之后,我和泰山都不会妨碍你们说情话。"

欧马特笑笑说:"那太好了,我们一同找到潘纳特丽之后,再同心合力去完成泰山和塔丹要完成的事。我们现在该往哪儿走呢?"他转身对他的武士说:"有谁知道现在潘纳特丽的去向?悬崖上打得这么热闹,她都没出来,她一定没在自己的山洞里。"

武士群中没有人知道她在哪里,他们只看见她在前一夜和许多女伴同行,回到她自己的山洞里去了,以后又发生过什么事,大家就不知道。

泰山对欧马特说:"你领我去看看她住的地方,如果能让我见到她穿过的衣服或用过的东西,我就可以帮你找到她。"

这时有两名年轻武士,一个叫英萨,另一个叫欧顿,两个人一齐走了过来。欧顿说:"酋长!我们两个愿意帮助你寻找潘纳特丽。"

这看起来虽是一件小事,但可以说明一个问题,那就是欧马特的酋长地位渐渐在巩固了。现在没有人出来反对他,而且有人愿意出来帮助他。武士们也都高声说话,不再窃窃私语,女人们也从山洞里出来看热闹了。英萨和欧顿,可以说给大家带了个头,武士们也和欧马特讲起话来,同时,大家都紧盯着泰山。这时,各山洞的小头目都在召集他们的猎户,议论今天应该到哪里去打猎。女人和孩子们准备爬到石壁上去玩,其他的老年人都各自履行看守和保护的责任。就这么一会儿,这里已经是一片和平气象了。

欧马特说:"英萨和欧顿可以和我们一块儿去,他俩年轻,带上他们会对我们有帮助的。可是,我主张不要再添别人了。泰山请跟我来,我把潘纳特丽住的地方指给你看。我真不明白你的意思,她不在洞里,你只看看她住的洞子和她用过的东西,怎么能找到她呢?"

泰山笑而不答。两个人走进潘纳特丽住的山洞,泰山要欧马特领他到她的寝室去。欧马特走进寝室之后说:"这里全是她的东西,只有地上那个木棍是埃萨特的。"

泰山在这间山洞里走来走去,到处闻一闻,他的朋友实在不明白这是做什么。他们正在纳闷,泰山忽然对欧马特说:"你跟我来!"说着就领他到了外面。

塔丹和两个年轻人也在外面等着他们。泰山走到壁龛的左边,嗅了嗅木桩。嗅觉是泰山最灵敏的感觉,这还是养母卡拉教给他的。随着年龄的增长,他这项本领越来越精了。他从壁龛的左边转到壁龛的右边,一直在闻着。欧马特急不可耐地说:"咱们快走吧!在这儿瞎耽误什么工夫?我看只有到外面去,才有可能找到她。"

泰山说:"你说得容易,到外面哪里去找她呢?"

欧马特搔搔头皮说:"哪里去找?总不会出帕鹿顿吧?"

泰山说:"帕鹿顿那么大,你怎么找?跟我来!我已经知道了,她是从这条路走的。"说着,他便攀着木桩,一排一排地爬上去。一路上他都在注意闻着,潘纳特丽的气味十分明显,他断定她昨夜到过这个地方。泰山爬到没有木桩的地方,再不能上去了,因为他不像潘纳特丽自己带着木桩。一看下边,欧马特紧跟在他后面,就对欧马特说:"她是从这里爬上去的,可是现在这里没有木桩了。"

欧马特说:"我真弄不懂,你是根据什么说她是走这条路的呢?既然你要上去,我们可以去拿点木桩来。英萨!你去取五根木桩来!"

英萨立刻飞跑着去取木桩了。欧马特拿到木桩就扔给泰山,泰山又退还给他一根说:"我只要四根就够了。"

欧马特笑着说:"如果你只要四根就够了,你可真是比我们长尾巴的本事还大。"

泰山说:"别开玩笑!我确实只要四根,现在不是比本事的时候。假如你们能替我把木桩插好,我会更方便些。插木桩我做起来太慢,因为我不能像你们那样用脚趾夹木桩。"

欧马特马上答应说:"既然这样,塔丹、英萨和我先上去,你跟在我们后面,让欧顿走在最后,收回这些木桩。我们不能把这些木桩留给我们的仇人。"

泰山奇怪地问:"你们的仇人,难道不会自己带木桩来吗?"

欧马特说:"外人自己带木桩来,安插起来会很费劲。那些插木桩的小孔,有的深,有的浅,大小也不一样,只有我们自己的人知道。外人试了不能用,如果再去换,那可就费工夫了。"

他们走到悬崖顶上,站在一棵大树旁边,泰山仍用嗅觉辨别潘纳特丽的去向。这儿她的气味还是很浓,跟木桩上的一样。泰山循着这种气味继续前进,横穿过山冈,向高卢尔的方向走去。走了一会儿,他忽然站住,回头对欧马特说:"她曾经到过这里,而且走得很快,她在这地方碰见了一头狮子。"

欧顿问:"你是不是看见这里的草被压倒了,所以有这个推断?"

泰山未置可否,又说:"我想狮子没有追上她。究竟狮子追上她没有,我们等一会儿就会明白了。噢!对了!它一定没追上她,你们看!"

欧马特等四个人顺着泰山指的方向看去,只见两百米之外的灌木丛里,好像躲着一头巨大的野兽。

欧马特问:"那是什么?难道是潘纳特丽藏在那里吗?"他一边问一边跑了过去。

泰山赶快拦住他说:"别过去,那不是她,那是追她的狮子。"

塔丹问:"你已经看见那头狮子了吗?"

泰山说:"不,我没看见,但是我已经闻到了,是一头雄狮的气味。"

大家都非常惊奇,泰山怎么会凭鼻子闻,就能判断出是一头雄狮呢?接着,那头狮子走了出来,而且正向他们走来。这确实是一头很壮的雄狮,长得十分高大,而且也很美丽,毛皮上有斑纹,跟花豹一样。它望了望这边的几个人,就开始向他们进攻了。因为这时正是早晨,它还没找寻到食物,肚子正饿着呢。这边的五个人,除泰山之外,都举起了木棍,准备抵御狮子。泰山也拔出了猎刀,隐伏在狮子过来的路上,等待着狮子扑过来。狮子到了泰山跟前,不知为什么没向泰山进攻,却转身向欧马特扑去。欧马特躲避不及,头被狮子的爪子拍了一下,马上晕倒在地。其他人都举起各自的武器冲了上去。那狮子左冲右突,一爪打在欧顿的木棍上,那木棍就飞出去,正好打在塔丹的身上,塔丹也躺倒在地上了。狮子趁势跳起来,直扑欧顿,泰山这时以极快的动作跳上了狮背,咬住了狮子的后颈,两只手扼住了狮子的喉咙,两条像钢铁一样的腿夹住狮子的肚子,在地上滚成一团。

其他人都吓呆了,站在那儿发愣,气喘吁吁地看着泰山和狮子决斗。只见两个滚在地上,动作都极快,忽而见泰山棕色的手举起短刀来,刺进猹(这里的人管狮子叫"猹")的肚子,猹的肚子马上流出了鲜血;忽而又见它怒吼着、挣扎着,拼命想甩掉背上的泰山。泰山的猎刀却一起一落,不断地刺进狮子的身体。帕鹿顿人见泰山一个人这样大战雄狮,都惊讶不已。他们平时虽自认为是勇敢的,但和泰山相比,确实自愧弗如了。

欧马特这时清醒过来,对两个年轻武士说:"你们谁曾见过这样勇敢的人?刚才你们还要求我杀死他呢!"

英萨也十分钦佩地说:"我看谁也比不上他。"

狮子终于死了,泰山从狮子身上站了起来。欧顿跑到泰山面前,十分诚恳地一只手按在自己的胸前,另一只手放在泰山的胸前说:"泰山是勇敢的人,是令敌手最害怕的人!请求你允许我做你的朋友!"

泰山非常和蔼地笑着说:"我们本来都是朋友啊!我们不都是欧马特的朋友吗?"说着,又去接受英萨的祝贺和敬意。

欧马特走到泰山身边,把一只手放在泰山肩上,急切地问:

"据你判断,这狮子追上潘纳特丽了吗?"

泰山说:"我的朋友!你别着急,它没追上潘纳特丽,向我们进攻时,它还是一头饿狮呢!"

英萨非常惊奇地说:"你为什么这样熟悉狮子?"

泰山说:"我如果有一个兄弟,我对他脾气秉性的熟悉程度也不过如此。相处的时间长了,打交道的次数多了,自然会熟悉。"

欧马特又急切地问:"潘纳特丽到底在哪里呢?她会不会出了危险呢?"

泰山回答说:"我们再循着气味去找。"于是又领着他们往前走,左拐后到了悬崖,这里正是高卢尔山谷。泰山向左右两边地上侦察,然后站住了。他望着欧马特,指了指下面的山谷。欧马特忙走到悬崖的边上,向下凝视一分钟,发现了一条湍急的小溪。欧马特内心十分痛苦,闭起眼睛转身问泰山:"你的……意思……难道是说……她从这儿跳下去啦?"

泰山说:"她没有别的办法,狮子在后面追她,你来看,那里不是还有四只脚印吗?她为了躲避狮子,只有跳到水里去。"

欧马特听了这话,十分悲痛地说:"你是说她死了吗?你看还有没有别的希望……"他话还没有说完,看见泰山向他摇手,他连忙住了口。

泰山低声说:"我听见下面有许多人跑过来,他们跑得很快,大约是从山冈上跑下来的。"泰山立刻趴伏在草地上,其他四人也都照他的样子趴下来。

他们就这样等了好几分钟,果然听到了脚步声和高叫声。

欧马特低声说:"这种高喊,正是高卢尔人进行战斗时的喊叫声,他们一定是在追什么人,我们马上就会看见他们了。如果介得·本·奥次(意为大神)保佑我们,希望他们的人数不要比我们多得太多。"

泰山说:"从声音听,他们的人马不是四十,就是五十。究竟被追的人有多少,追人的人又有多少,还分辨不出来。我估计追的人一定比被追的人多,不然,他们不会这样高声大叫,气势汹汹。"

塔丹说:"看,现在已经看得见了,他们已经跑过来了,"

欧顿说:"我看清楚了,被追的是潘纳特丽的父亲安恩,还有安恩的两个儿子。他们经过这里,不会看见我们的,假如我们趴着不站出来的话。"说着,他望了欧马特一眼。

欧马特大喊一声:"来!"霍地一下跳了起来,向安恩父子三人飞奔过去,其他人也跟在他后面跑了过去。

欧马特对安恩父子三人喊道:"别害怕,我们这里有五个人,都是你的朋友。"

欧顿和英萨也跟着喊:"别害怕,我们来了!"

安恩气喘吁吁地喊道:"后面高卢尔人很多,他们要和我们打仗,赶快向埃萨特和他的武士们告急,叫他们派兵,作好准备。"

欧马特说:"不错,我们一定要告诉我们的人民,作好御敌的准备。"

英萨冷不防地来了一句:"埃萨特早已死了。"

安恩的一个儿子问:"那么现在谁是酋长呢?"

欧顿大声说:"看!我们的新酋长欧马特,他就在这儿!"

安恩高兴地大叫:"好极了!潘纳特丽说过,她一定回来杀死埃萨特,这下可实现了她的愿望。"

这时,追兵已经离他们不远了。

泰山的头脑最清醒,他说:"依我说,我们与其逃跑,不如转过身来攻打他们。我们可以一边进攻,一边不住地大声喊,这种方法叫作疑兵之计。方才他们追赶的只有三个人，现在一下子变成八个人，他们会以为第一批接应的人到了，后面一定还有援兵，他们会士气大减，也许不战而退。趁这时候我们再派人去报警。"

欧马特认为泰山说得有理，就马上命令说："好的。伊旦！你腿快，你跑回去告诉本国的武士，就说我们正和高卢尔人打仗，阿邦一定会派一百人来增援我们的。"

伊旦就是安恩的儿子，他接了命令之后，马上向狮子峡奔去。其他人转过身去，向高卢尔人迎战。两边的呐喊声震动着山谷。高卢尔人的领袖忽然见对方的人数增多了，立刻停住，一边在等着后面的部队，一边在观察对方力量的变化。那些领头的比他们的部下跑得快，所以先到的人已和泰山等交上手了。欧马特和他的朋友作战都非常勇敢，对方渐渐不支，只好撤退。欧马特这边就乘胜追击，最后把对手逼到树丛中去了。欧马特等人一直追进树丛，高声呐喊着向前追杀。树丛并不茂密，不足以挡住人前进。泰山跑得很快，已远远超到大家的前面去了。

高卢尔的武士跑了一阵，渐渐觉察敌人的人数并不多，而且跑在最前面的只有一个，于是又重整了队伍，布好了阵线，在浓密的灌木丛中埋伏下来，静等着泰山长驱直入，然后落入他们的包围圈。这一带他们路熟，就好像在他们自己家里一样，而泰山对这一带却是陌生的。

一个高卢尔武士冷不防迎着泰山冲上来，举起木棍，向着泰山头上劈下来。等泰山逼近他欲还手时，他却转身逃进树丛去了。这明明是诱敌深入之计，但泰山却没有识破，仍旧直追进树丛里去。当泰山突然发觉危险时,已经身入重围,想转身跑开已为时太迟了。这时泰山想起国仇家恨,又急又气,根本不顾处境的危险,发出一声野蛮的咆哮,冲到了武士们的面前。他首先夺下了一个武士手中的木棍,就好像大人从小孩手里夺东西那样容易。同时他又向那人迎面一拳,这一拳力量实在够猛,那人的头骨马上碎裂,倒在地上死了。泰山从地上拾起死者的木棍,抵抗着四周冒出的敌人。武士手里的木棍,每次和泰山挥舞的木棍相碰时,都震得他们虎口发麻,手都握不住木棍了。泰山左冲右突,东挡西杀,越战越勇。尽管如此,可是敌人越来越多,把泰山层层包围,泰山终因寡不敌众,后脑上挨了一木棍,只觉得眼前直冒金星,不觉晕倒在地上。

还有一部分武士,在和欧马特的队伍交战,欧马特看看援兵一直没到,自己这方面的力量渐渐不支,只好退却。这时他才发现泰山不见了,就高声大叫:"泰山!甲得格鲁顿!泰山!甲得格鲁顿!"

有一个高卢尔的武士,就是方才被泰山打晕在地上的,现在爬了起来,听见敌方有人这样呼喊,便喃喃地说:"泰山,可怕的人?我看,他的确可怕,但到底被我们打败了。"

五
在三角恐龙地带

当泰山倒在敌人的阵地上时，在好几英里之外，有一个男子正走在帕鹿顿四周的沼泽地带的边缘上。

那人没有穿衣服，只围着一块狮皮，身上有三条子弹带，两条交叉在左右肩上，在后背呈斜十字形，还有一条则缚在腰里。背上的一条皮带上面挂着一支枪，此外，他身上还有长刀和弓箭。看样子，他来自很远的地方，已经走过许多荒芜地带，受过许多野兽和蛮人的袭击了。他没有受伤，可是他的子弹已经所剩不多。因此，他非常珍惜子弹，不敢浪费。一路上，遇到非用武器不可时，他大多用长刀和弓箭御敌，虽然有几次几乎危及生命了，可他还是没有放一枪。他为什么要这样做呢？

也许，他今天所走到的地方，离他要寻找的目标到底还有多远，他心里没有底。而在未来的途中，子弹是没有可能得到补充的。当然喽，这只是猜测，至于真实原因是什么，只有他自己知道。

现在我们再回过笔来说潘纳特丽。当她被狮子逼得跳下高卢尔悬崖边时，她知道，与被狮子撕扯成碎块吃掉相比，还是摔死来得痛快些。于是她把心一横，纵身往下一跳，谁知没碰在石头上，却跳到了河里。

河水很深，她一直沉到了水底。最糟的是她不会游泳，在水里四肢乱扑腾，连她自己也不知道怎么浮出水面的。她浮出水面的地方离岸边不远，她好不容易爬上了岸。在岸边休息了一会儿，她准备逃出这个危险地带，因为她知道，这个地方已经属于她仇敌的疆界了。

她觉得休息够了，就站起来，走进峡谷中一丛浓密的野草里。这里即使有人经过，也不容易发现她。潘纳特丽这时才觉得肚子饿了，幸亏四周有些野果，她便用从埃萨特身上摘下的刀，割些野果来充饥。

这时，潘纳特丽不知埃萨特已经死了，不然，她也就不用这样惊慌了。她总以为他会来追她，所以她是决不敢回故乡去。即使要回去，也得等她的父亲和兄弟们都回到他们的山洞之后。但是现在，无论外头多危险，都不能回去。不过，这里也只能暂避一时，终非久留之地：四周都是高卢尔人的领土。她必须在天亮之后，明天天黑之前，找到一个比较安全的地方才成。

她靠在一棵树上，思考怎样才能找到一个安全的地方。突然山谷里传来一群人的呼喊声。她一下就听出来了，这是高卢尔人打仗时的喊叫声。接着她又看见三个人顺着河岸跑过去。她听见追兵喊叫得山鸣谷应，有四五十人。她躲在草丛中，虽然那些追兵就从她身旁跑过，可是没有一个人看见她。因为高卢尔人谁也想不到，在他们自己的国土范围之内，就在几米路之间，居然隐藏着一个敌人。

潘纳特丽看那被追的人，能辨认出是自己华丹族的武士，但由于离得远，辨不清面目。后来见他们直向悬崖上爬去，她仔细一看，才大吃了一惊，他们原来正是她要找的父亲和两个兄弟！她真后悔自己刚才没有仔细看，不然，当他们从自己躲藏的地方经过时，她也会跳出来，和他们一同跑了。现在再追也迟了，但她心里很替他们着急。他们能顺利地爬到崖顶吗？高卢尔人会不会追上他们呢？他们三个人攀登的本领都不错，可惜在这种紧急的时候还嫌不够快。哎呀！他们三个人之中，有一个人歪倒了一下。高卢尔人有几个快要追上了，其中一个高卢尔人把木棍朝最近的一个华丹人扔过去，潘纳特丽吓得差点喊出声来。还好，真神保佑，他没有打中，木棍掉下去了，反而打在他们自己人头上。那人支持不住，失足滚到绝壁下。

潘纳特丽向前走了一步，她非常紧张，手紧紧抓住扣在胸上的黄金护胸，瞪大眼睛看着他们父子三人。她看到她的一个兄弟好容易爬到悬崖上较高的地方，但看不清他手扳着的是什么地方。只见他荡起下半身，把尾巴递给父亲。父亲在下面抓住他的尾巴，同时又把自己的尾巴伸向下面的小儿子。就这样他们把尾巴当作救命梯，一个接一个地都上了悬崖。到了悬崖顶上，他们就向前跑去。但是高卢尔人也穷追不舍，只听得悬崖顶上喊声如雷，不用说，高卢尔人一定还在追他们。

潘纳特丽想，她不能待在这里，必须及早逃走。如果被高卢尔出来猎取小动物的狩猎小分队发现，那自己只有送命了。但是自己该往哪条路上跑呢？后面有埃萨特在追自己，前面有高卢尔人的队伍，旁边又是三角恐龙地带，这种动物是帕鹿顿人最怕的恶兽，而附近就是它们的巢穴！下面的山谷有荷丹人的部落，深入异族也等于去送死。自己所待的地方,是高卢尔人的属地,高卢尔人和自己的部族是世仇,自己万万不能待在这里。她望了望高山,觉得高山上吃人的野兽甚多,想来想去,真是进退无门。

她偶然抬头向南方一望,最后下定决心,便大踏步向三角恐龙出没的地带走去。一路上她非常小心,倒没遇到什么危险,将近中午的时候,她才来到悬崖底下。这一带原是人人都害怕的地方,她找了一条容易走的道路,攀上绝壁,越过山冈,来到了三角恐龙地带的边缘。其他的人是不敢到这儿来的。这里有茂密的野草、参天的古树,四周一点儿声音也没有,简直像死一样静寂。

潘纳特丽伏在悬崖边上。向下望去,她看见有许多山洞,洞外各插着许多粗细大小不同的石桩。这大概是很多年以前人们插下的。她在儿童时代,曾听过关于这个地方的传说,讲的是有一种奇怪的野兽,从沼泽地那边来到这里,吞食了这里的居民和其他生物,伤害了无数生灵。不久,幸免于难的少数人就都逃走了,留下这块杳无人烟的地方。也有另外一种传说,说真神是永远不会死的,至今还有一个小孩子活在这里,不过谁也没有看见过他。潘纳特丽耸着肩胛,不禁胆怯起来。但是这里毕竟有山洞可以安身,也许可以免受怪兽的袭击。

潘纳特丽找到一处插着许多石桩的悬崖,慢慢地顺着石桩爬到最高的一个山洞。这山洞前有一小块平地,和自己一族人住的山洞差不多。地上长着野草,野草里还有鸟窝。她又到另外两个邻近的山洞看了看,发现也大都相仿。她估计周围情况也都差不多,未必能找到一个更好的栖身的山洞。于是她在第三个山洞前停住脚,用刀割去地上的野草,开出一条路来。她做这些的时候，不时向四周观望，怕忽然有三角恐龙袭来。幸而一直什么也没有，她心里稍稍安定了几分。她没有发现，就在离她不远的地方，有一对尖锐的眼睛正在逼视着她呢！那眼光异常凶残，正在一眨不眨地凝视着她，一条血红的舌头舔着嘴角，不知这半人半兽的脑袋里在打着什么主意。

这里和潘纳特丽原来住的地方一样，也有小溪流淌，也许是从前住在这里的人有意引来的。现在虽然没有人居住，可是溪水照旧流淌着。离山洞很近就有水，看来饮水是不成问题了。只是找食物有点困难，虽然悬崖下面有野果和野生菌类，但是一天往返两次，难保不碰上险情。幸好在洞里能找到鸟雀禽蛋之类，她只好用这两样东西充饥了。她对这个恐怖的无人区渐渐产生了好感，因为只要躲入洞中，就可以躲避野兽的侵扰，同时仇人也不会追到这里来。

她把洞里的野草和藤蔓割除一些，居然有点像个家的样子了。这时太阳把山洞最外的一间照得很亮。里边同其他洞穴一样，墙上雕刻着人类和各种野兽，由此可以推想出来，现在的华丹族和从前住在这里的人相比，并没有多大的进步。潘纳特丽自然认识不到这一点，像他们这样种族的人，原本不懂得追求改革和进步，他们以为一切事物都是永恒不变的。洞里的野草比外面的稀少，但灰尘却很厚。壁龛里有打火石，她就烧起一堆火来。借着火光，她进入洞的里层，找到一些遗留下来的粗糙石器，她看来看去，却没有一张可以睡觉的软床。从这一点可以看出来，原来居住在这里的人，搬走时一定并不匆忙，凡是可用的东西都带走了。悬崖下面虽然有软草、树枝树叶，但不是一趟就能搬够的，她不敢冒险下去取，只有为了寻找食物才有必要去冒这个险。

天色渐渐暗了，洞里各处也渐渐黑起来，潘纳特丽总得想个能躺下睡觉的办法。最后，她终于想出了一个办法：把洞里积了多年的泥土堆在一起，然后摊平，把杂草堆在上面，总算做成了一个可以临时睡觉的土床了。虽然睡在这个土床上并不舒服，但与睡在坚硬的石块上相比，总要好得多。她已有两夜没有睡好觉，两天来，又多次经受艰难困苦，她确实疲倦极了。尽管这是不像样的土床，可她一躺下去，很快就进入了梦乡。

潘纳特丽睡得很甜。这时明月已从东方升起，银色的月光倾泻在白色的石壁上，使黑暗的丛林和山谷因石壁的反光而亮了许多。远处有狮子的怒吼，此外什么声音都没有。忽然，山谷上面发出了一种叫声，声音并不大，不足以吵醒熟睡的潘纳特丽。在石壁旁的树上，有一个什么东西在移动。山谷中也发出了同样的叫声，好像上下呼应。接着，有一个东西从树上跳下来，恰好落在山洞下面的草堆上。这东西在黑暗中慢慢地行动，有点像大蟒蟒，又有点像人类。它被树影遮着，看不清到底是什么东西。不一会儿，它爬出黑影，月光照出了它的手脚。原来它是用手脚扳着石桩爬上石壁的，现在正向潘纳特丽的卧处前进。将要爬到山洞时，山谷又传来了一声呼叫声，它也回应了一声。

泰山晕过去好一阵子。等他醒来睁开双眼时，觉得后脑还有点疼，才明白自己刚才是被打昏了。现在他的神志已渐渐清醒。他向四周看了看，发现自己竟在一个山洞里，有十二个武士在身旁看守着。山洞里点着一盏石做的油灯，惨淡的光线照得整个山洞都阴沉沉的。灯上的火焰在跳动着，武士们的黑影映照在墙上晃动着,好像在电影银幕上一样。

泰山忽然听到一个武士开口说:"酋长,这个人好奇怪,我们之所以要把他活捉来交给你,就是因为发现他没有尾巴。我们从来没见过像他这样的人。我们仔细看过了,他是生来就没有尾巴的,不是后来被割断的。另外,他的手指和脚趾也和帕鹿顿人完全不同,他的大脚趾是可以并拢的。这个人力气很大,说他一个人顶十个人都不夸张。我们许多人跟他打了好一阵子,后来把他打晕,才把他捉住。我们就因为他生得奇特,才把他捉来给你看看。在杀死他之前,你不妨好好欣赏一下。"

那个被称为酋长的人站起来走向泰山。泰山连忙闭上眼睛,假装还没有醒过来的样子。他感觉到酋长伸出的毛茸茸的手在他身上摸着。酋长把他从头到脚仔细观察一遍,然后又拿起他的手指和脚趾看了看,说:"他的手脚跟咱不一样,又没长尾巴,当然是不会爬高的。"过了一阵,泰山又听得酋长说:"我从来没看见过他这样的人,既不是华丹族人,又不是荷丹族人,真猜不出他是从哪里来的,可惜又没法知道他的名字。"

又听见另一个武士说:"我听山谷那边的人叫他'可怕的泰山',这也许就是他的名字吧?酋长!现在可以杀他吗?"

酋长说:"等一等,先不着急,等他的生命回到他的头部时,我有几句话要问问他。伊塔!你先在这里看守着他,当他醒过来能讲话的时候,你就来告诉我。"

泰山后来就听到酋长出山洞去了。其他的武士见无事可做,也陆陆续续出去了,只留下伊塔一个人。他们从泰山身边走过时,还听到他们在说:当那几个敌人眼看要打败的时候,敌方的援兵开来了。自己这一边人数较少，抵挡不住，所以带了这个打晕的俘虏逃回来了。泰山听后暗想，伊旦的腿脚果然快，他能迅速地搬来救兵，这样说来，欧马特和其他人都得救了！想到这里，他不觉微微一笑，睁开眼睛，看看伊塔。但见这个武士正脸朝外面站在那里。泰山用了一下力，试试手腕上的绑绳，觉得没有多结实。可能是因为这些人逮住俘虏就杀，所以不会绑人。泰山趁伊塔正向外看时，抬起手腕来看了一下，不禁心里一喜，脸上露出笑容来。泰山一边看着伊塔，一边用牙齿咬绳索，不一会儿，就咬断了。伊塔正好转过头来，见俘虏姿势也变了，忙走过来俯身去看。冷不防泰山霍地一下跳起来，用手扼住他的咽喉。可怜这年轻的伊塔，还没来得及出声就倒了下去。泰山用身体压在他身上，伊塔挣扎着想抽出刀来，泰山早已看出他这一手，当然不会让他如愿。

伊塔没有办法，伸出长尾巴盘住了泰山的脖子，原来他们的尾巴确是很厉害的，可以越勒越紧，使人窒息。但这时泰山已抽出刀来，举刀一挥，伊塔的长尾巴便断了。

伊塔不多一会儿就死了。泰山站起身来，一只脚踏在伊塔的胸前，想要发出一声人猿胜利时的长啸。但想了想，他怕惊动更多的人来，便没有叫。他检查一下自己身上，草绳和刀都还在，记得当他倒下去的时候，刀是握在手里的，大概是他们逮住他之后，替他插回到刀鞘里的。他不懂他们为什么会这样做，也许他们认为自己就要死了，带不带武器在身边都无关紧要。其实他们有很重的迷信思想，认为没收死人身上的东西，死者的灵魂会找他们算账的。因此，泰山的武器还都完好无损地保留在身上。

泰山走到山洞口,向外看了看,见没有别人在看守他。这时天色已晚,暮色苍茫。附近的山洞里面有许多声音,而且有烧煮食物的香味飘过来。泰山往下一看,原来他待的这个山洞是石壁上最低的一层,距离悬崖底下至多只有三十英尺。在泰山看来,这个高度是很容易跳下去的。他正要往下跳时,心里忽然转过一个念头,想起华丹人赠给他的绰号——"可怕的泰山",现在也不妨拿他们开开心。于是他又退回洞里,来到伊塔的尸体旁边,用刀割下了伊塔的头,来到外面,先把人头掷到悬崖底下去,然后自己攀着木桩爬下悬崖。等脚踏到实地后,再提着伊塔的头发走入黑暗的树丛。可以想见,这情景多可怕啊!在夜晚将临的时候,一个半裸体的大汉,提着一颗人头行走在丛林里!

其实,了解泰山的人也不会觉得奇怪。泰山虽有英俊文明的外表,但他也有一颗自幼在兽群中长大的凶猛残暴的心。他勇猛得像狮子一样,他与狮子的不同之处是他有思想有智慧。泰山料想那些高卢尔人发觉了他做的这件事之后,初始会暴跳如雷,之后静下心来想一想,又会吓得魂飞魄散。哈!那真有趣!

泰山寻找道路,打算回到狮子谷欧马特的部落去。走到河边,再也找不到路了,只有一条河,好在泰山会游泳,于是游了过去。刚到对岸,泰山就嗅到了一股熟悉的气味,是潘纳特丽的气味。泰山心里一喜。啊!原来她并没有死,气味在就极有可能找到她。这里正是她跳崖的地方,泰山立刻改变了要回去的主意。他想,既然有可能找到她,自己是欧马特至死不渝的朋友,就该尽一点做朋友的义务,去为他找到心爱的姑娘。他走过丛林,越过山冈,来到潘纳特丽所在的悬崖脚下。他觉得提着颗人头爬山不方便,就把人头挂在一个很低的树枝上,然后像人猿一样,循着潘纳特丽的气味爬上了悬崖。

泰山不知道这个三角恐龙地带是一块可怕的地方,因此,他也不知道危险。泰山自幼生长在兽群中,从小到大数不清遇到过多少次危险了,对他来说,遇到危险已是家常便饭。黑夜里穿过丛林,他一点也不觉得有什么可怕,正如同我们在城市里生活的人走在马路上并不怕过往的车辆一样。

非洲丛林里那些黑人,同样生长在丛林里,他们为什么黑夜里不敢出来呢?因为他们到底是人,从小有大人保护,尤其到了夜里,母亲会悉心保护着他们。泰山却不同于这些黑人的孩子,养母卡拉虽然也保护他,但用的不是人的方法,而是人猿的方法。泰山和丛林中其他的动物过着同样的生活,因此他什么都不怕,在黑夜里走路,也像白天一样泰然,如同一个农夫到牛棚里去喂牛。

到了悬崖边上,潘纳特丽的气味又没有了。泰山心里很是纳闷,难道到了这里,她又跳下河去了吗?这时泰山向周围看了看,他忽然看见了石桩,他想她有可能是攀着石桩走的。

正在这个时候,泰山无意间抬头一看,发现上面好像有一个什么东西在爬动。究竟那东西是什么呢,由于距离太远看不清楚。泰山也往上爬,后来爬得近些了,泰山看那个爬行的东西不像是低等动物。泰山看见它和这里的人类一样,也有一条尾巴。看它爬到最高处,钻进了一个山洞。这时他又闻到了潘纳特丽的气味。

当他走到第三个山洞外面时,只听见洞里发出了一声尖利的惨叫,在空寂无人的山谷中,这叫声更显得凄厉。

六
图尔欧顿

潘纳特丽实在太疲倦了,在山洞里一直熟睡着,一次都没有醒过。忽然,她像是做噩梦,梦见自己躺在三角恐龙地带的大树下,有一头巨大而可怕的野兽爬到她身上来。她想睁开眼,可是怎么也睁不开,身体也动不了,她想喊叫,可是喊不出声音来。她觉得野兽在用爪子触摸她的脖子、胸膛和手臂,忽然又张开大嘴叼起她来。这时她又急又怕,醒过来才知道是一场梦。但是,她从噩梦中醒来之后的宁静心情,只维持了一小会儿。

她知道自己真的遇到危险了,这回可不是梦。她看见身边正伏着一个东西,在黑暗中用毛茸茸的手指抚摸她,紧接着,一个长着毛的胸膛也压到自己的胸前来了。多可怕的野兽!它要干什么?这次可不是做梦啊!她大叫了一声,想用力把它推开,但她听见它发出一声低低的咆哮。潘纳特丽突然觉得,另外一只毛手抓住了她的头发。这野兽随即用后脚站起来,想要把她拖到山洞外的月光下面。

正在这时候,她忽然看见一个像荷丹族一样的人也扑进洞里来了。

拖她的那个野兽似乎也看见进来的这个人,一边愤怒地咆哮着,一边把她的头发抓得更紧了。进来的那人等着迎战,嘴里也发出可怕的咆哮声,震动了整个山洞。那野兽也发出惨厉的叫声,非常可怕,潘纳特丽吓得颤抖起来。她怕这野兽,但同时也怕那个荷丹人。她总觉得他也许不是荷丹人,因为听他那种像野兽一样的咆哮声,恐怕也不是个好惹的,又怎么能判断他是否对自己怀有恶意呢?

潘纳特丽想,这两个东西一定会为了抢她而开战,无论哪一个打胜了,她都不会活命。她心里暗暗在打主意,不如趁他俩决斗的时候,看准机会,逃出洞去,然后设法逃出格雷夫山谷。

她渐渐看清楚了,抓住她的,正是一个图尔欧顿。但是她不认识后面的那个人。月光照得很亮,她断定他不是荷丹人,因为他没有尾巴。她看他的手指和脚趾也和帕鹿顿人不一样。他握着刀,慢慢向图尔欧顿走来,而且对潘纳特丽说话了。他说的话她能听懂,这倒使她更害怕了,不知他是神是怪。

潘纳特丽听那人对自己吩咐说:"潘纳特丽!当我和他决斗时,他会放开你的,你就趁这时候,从我的背后跑出洞去,你可以攀在石桩上,也就是你从峭壁爬上来的那个地方。如果我打败了,你尽可以快跑,他追不上你;如果我胜了,我自然会来找你。我是欧马特的朋友,自然也是你的朋友。"

潘纳特丽听了泰山的话,有点惊疑不定,她怎么也不明白,这个陌生的怪人怎么会张口叫出自己的名字!他怎么知道自己是从石桩上爬到山洞里来的呢?难道他一直在后面看着自己吗?潘纳特丽疑窦丛生,禁不住高声问道:"你到底是谁?是从哪儿来的?"

泰山说："我是泰山，从狮子谷来，是从欧马特酋长那儿来的,替欧马特来找你。"

潘纳特丽心里更奇怪了,酋长分明是埃萨特啊!怎么说是欧马特呢?这到底是怎么一回事?她正想再问这个自称泰山的人,只见他已向图尔欧顿扑来。图尔欧顿高声怒吼着,也向泰山扑过去。泰山的预料不错,他们两个一交手,图尔欧顿就放开了她。只见泰山和图尔欧顿都拼死打对方,彼此都想掐住对方的咽喉。潘纳特丽在旁边看着,并没像泰山吩咐的那样逃走。这个时候她本来是有机会逃走的,只因为她刚才听泰山说他是欧马特的朋友,自然对他有了几分好感,于是握着刀站在旁边,准备找机会帮助泰山。

泰山初到这个地方,当然不知道这个地方的可怕,但潘纳特丽却完全知道,这些半人半兽的图尔欧顿是非常残忍的。在帕鹿顿这个地方,图尔欧顿虽然不多了,但也足以使华丹人和荷丹人望风而逃。据说图尔欧顿对女人更是残酷,所以潘纳特丽很希望泰山杀死他,也好为这一方除掉一害。

泰山和图尔欧顿扭打成一团,图尔欧顿用它的尾巴卷住了泰山的脚腕,泰山立脚不稳,他俩就一起倒在地上。但泰山力气大,又非常机警,一跌下去,就压在了图尔欧顿身上。图尔欧顿也不是等闲之辈,它的杀手锏就是尾巴,于是它用尾巴来卷泰山的脖子。泰山尽力躲避着,可惜泰山的猎刀在打斗中掉在一旁,他无法拿到手。因为他俩跌倒时,泰山不得不用双手紧紧抱住图尔欧顿,根本腾不出手去拣刀。潘纳特丽明白这一点,便顺手拣起那把刀,想找机会帮助泰山。她本想用刀直接刺图尔欧顿,可是他俩抱得太紧了，又滚动得太快，使得她无法下手。泰山觉得图尔欧顿的尾巴总在他肩头打转，就用力护住头颈。图尔欧顿越来越厉害了，好像大猩猩一样。泰山抓住图尔欧顿的脖子，用牙齿咬住他的后颈部。就在这一瞬间，图尔欧顿的尾巴终于卷住了泰山的颈项。情况非常危急，双方都想挣脱，都想了结对方的性命。但泰山毕竟是人，有着人的智慧，他一边在地上滚着，一边想出了一个主意。

图尔欧顿的尾巴越卷越紧，泰山已经感到窒息，舌头也有点向外伸出了，头脑开始觉得昏昏沉沉，连视觉也模糊不清了。当他们滚到潘纳特丽脚边时，泰山马上腾出一只手，飞快地向侧面伸出，潘纳特丽明白他的意思，迅速把刀塞到了泰山手中。于是泰山用尽力气向图尔欧顿刺去，一刀、两刀、三刀，泰山虽然筋疲力尽，但他还是扭住图尔欧顿不放。他俩一齐滚到悬崖边上，又一同跌了下去。假如潘纳特丽听了泰山最初的吩咐早早走开的话，不但那把刀不能递到泰山手里，而且这一跌下悬崖，泰山的命也就完了。潘纳特丽见他俩滚到悬崖边时，便闪电一样地拉住泰山的一条腿，使得泰山在悬崖边倒挂在空中，没有掉下去。至于那个图尔欧顿，因为受伤过重，已经接近断气，自然滚下了悬崖。

要把倒悬着的泰山拉上来，潘纳特丽可没有那么大的力量，而泰山这时有点失去知觉了。她希望他早一点醒过来，不然，她的力气是支持不了多久的。恰在这时，他醒了过来。泰山刚刚清醒，便用手握住石桩，他的腿从潘纳特丽手中滑脱。泰山身体掉了下来，但由于两只手是握着石桩的，所以很快就站稳了。当他自己感到没有危险的时候,他的第一个念头就是想知道图尔欧顿在哪儿,死了没有。泰山向上望了望,只见潘纳特丽也用惊恐的目光在望着他,并高声问他:"你没受伤吗?你还活着吗?"

泰山答道:"是的,我很好。那个怪物到哪里去了?"

潘纳特丽向下面指了指说:"它被你推下去,多半是摔死了。"

泰山说:"那太好了。"说着,他攀上石桩,来到潘纳特丽身边,问道,"它伤着你没有?"

潘纳特丽说:"我没受伤,你来得正是时候。可是,你到底是谁?你怎么知道我在这儿?你怎么认识欧马特?你是从哪儿来的?你为什么说欧马特是酋长?埃萨特怎么了?"

泰山笑道:"等一等,我没法一口气回答你这么多问题,让我一件一件地说。你们女人怎么都喜欢这样连珠炮式的发问呢?不论是喀却克族的、英国的、还是帕鹿顿的姐妹们,都是这样不容人喘气地追问。好了,现在我告诉你吧!我们和欧马特一共有五个人,从柯鹿峡那边来找你,走在半路上,受到高卢尔人的攻击,各自走散了。我被高卢尔人打晕后捉了去,后来我杀了他们一个守卫逃了出来。我又顺着你的脚印找到这里,到悬崖时就看见那个长毛的生物在往上爬。后来我听到你的叫声,就赶紧追了上来。至于上来之后的事,你都亲眼看到了。"

潘纳特丽说:"你为什么说欧马特是酋长?我们的酋长是埃萨特呀!"

泰山说:"埃萨特已经死了,是欧马特一个人把他打死的,所以按你们的规矩,欧马特现在当了酋长。欧马特这次回来,本打算是去看你的,他看见埃萨特正在你的山洞里,他们就争斗起来,欧马特当场把埃萨特打死了。"

潘纳特丽说:"不错,埃萨特那晚到我的山洞里来,不怀好意,我用金护胸把他打晕了,才逃出来的。"

泰山说:"我一路在寻找你,知道你逃出之后,曾有一头狮子追过你,你跳到高卢尔山谷中,可是并没有死,对不对?"

潘纳特丽非常吃惊地说:"你说得一点也不错,你是怎么知道的?你怎么知道有狮子追过我?你又怎么知道我跳到水里没有淹死呢?"

泰山笑了笑,说:"看!你又连珠炮式地发问了。要不是高卢尔人来追我们的话,我会很顺利地找到你的踪迹。这次我之所以能找到你,倒是多亏那长毛的生物带的路。噢!对了,我也想问你一个问题,你管那长毛的生物叫什么名字?"

潘纳特丽说:"我们这里的人都管那种生物叫图尔欧顿,就是半人半兽的意思。从前我只见过一次,那是一种很可怕的生物,它兼有人的智慧和兽的凶猛。你能一个人把它杀死,实在了不起呀!"她说这话的时候,脸上露出了非常钦佩的神色。

泰山对潘纳特丽说:"现在你一定很疲倦了,先去睡吧!明天早晨我们回狮子谷,去见欧马特。我想你有两夜没睡好了,应该好好休息一下。"

有泰山在身边,潘纳特丽非常安心,一躺下去就睡熟了。泰山则走到山洞外面的硬地上进入梦乡。

第二天早晨,太阳都升起得老高了,泰山才醒来。在泰山醒来之前,我们的太阳公公一直照射着几英里之外的另一位天神一样的男人。他正在帕鹿顿周围的沼泽里寻找道路前进。那沼泽地环绕着帕鹿顿,好像一道天然的防御线。他在这里很艰难地缓慢前进。沼泽地中有一个水塘,水几乎呈墨绿色。

他走了两个小时,好容易走到了水塘边。读者们不要奇怪,怪他为什么走得这样慢,要知道沼泽地是很难走的。土地松软而泥泞,每拔一次腿都要费很大劲,他用两个小时走完了一半,已算是个很勇敢而又很有耐力的人了。他一见有水,马上跃入塘中洗了个澡,然后游到对岸。他知道前面还有一半沼泽地,也就是说还有两个小时的路程。他之所以先洗一个痛快澡,是想借以振作一下精神。

泰山站起身,昂首挺胸,作了几次深呼吸,吸足了新鲜空气。他向四下一看,觉得这里的环境很秀美。下面是格雷夫山谷,那里长着大树,蓊蓊郁郁,绿荫如海。树的枝叶在风中摇摆着。往右看,在山谷的下层,有曲折的河流,河水呈蓝色,反衬着白色的屋顶,这里就是荷丹族酋长的住所。那被称作光明城的地方以及城里的欧拉公主,他站在这里是看不见的,因为有一座悬崖挡住了视线。泰山越看越觉得这里的风景幽美宜人。他一直在这里出神地欣赏着,感到肚子饿了时,才想起该去找食物了。泰山又看了看下面的丛林,认为里面肯定会有可吃的野兽。泰山微微一笑,便向下爬去,那里有没有危险,他根本没有考虑。即使有危险,他也不怕。

但是,他却没有想到会遇上三角恐龙!

在泰山昨夜睡着之前,在格雷夫地带会有什么危险他一点儿也不知道。今天早晨,他醒得比潘纳特丽早,由于急于到丛林中去找食物,就没叫她。他到了丛林中,很小心地听着、看着、嗅着,并把弓和箭放在手边,以防出现意外的情况。晨风迎面吹来,带来了鸟语花香,这样的环境中,是便于他嗅觉的。在众多的气味中,他感觉出有几种是陌生的。

他嗅到了一种陌生的爬虫类气味。自从他到帕鹿顿之后,他已经见过几次奇怪的爬虫了。他又小心地往前走了几步,忽然闻到一阵浓烈的甜味,凭经验他知道,这是鹿的气味。泰山高兴地笑了,因为鹿肉正是他最爱吃的食物。于是,他放开脚步向前追去。他虽然加快了速度,但还是小心戒备着。凭嗅觉,他知道鹿在前面较远的地方。鹿是很机警的动物,稍感到不对就会逃跑。泰山为了防它逃跑,就爬上树,从树上往前走。哪知正在这时,他又闻到了一种从未闻到过的气味。他知道发出这种气味的野兽他从未见过,不过距离还远,他仍继续向前追鹿。

泰山终于看到一头肥美的大鹿在一条小河边。那鹿离树还远,泰山估计,从这个地方还不容易逮住它,于是他想用弓箭射它。他把弓从肩上拿下来,取一支箭搭在弦上,拉开满月弓,鹿被射中了。箭穿过了它的胸膛,它疼得直跳起来,接着便倒在地上了。泰山跳下树,向死鹿奔去。他正要伸手去抓鹿时,忽然一阵如雷的咆哮声从右边很近的地方传过来。泰山往发出声音的地方一看,只见有一个在古代史书插图上见过的动物正咆哮着扑过来。

潘纳特丽醒来之后找不到泰山了,她就跑到外面,向格雷夫峡谷望去,她猜他一定是到丛林中找食物去了。接着,在丛林的缝隙中,她似乎看见他的影子一闪,很快又隐没在丛林中了。她知道泰山对帕鹿顿的情况并不熟悉，很担心他会遇到危险。她不敢高声喊叫，因为她熟悉三角恐龙的习性。

它们虽然眼睛和鼻子都很迟钝，可是听觉却十分灵敏，听见人的声音，便会顺着声音追来。她不敢喊泰山，因为她怕把三角恐龙招引来，所以她准备爬下峡谷去找泰山，把这里的危险情况低声告诉他。她不愧是个勇敢的姑娘，明知三角恐龙地带有多么危险，但为救朋友还是冲了下去。潘纳特丽猜想泰山是迎着风下去的，她就顺着路去找，果然找到了泰山的脚印。但是，到了泰山上树的地方，脚印突然消失了。

她当然猜不到泰山会上树。她不像泰山有灵敏的嗅觉，该往哪儿追，她简直想不出办法。她想了想，决定仍旧迎风找去。自己身入险境，不免胆怯起来。到了空场边，她终于看到泰山了，只见他正弯下腰去抓一头倒在地上的鹿。同时她也听见一声如雷的怒吼，好像就近在身边。她知道这是什么东西在叫，便吓得魂不附体，赶快攀上一棵树的低枝，然后慢慢向上爬，觉得到了安全的高度后，才敢向下看。

见那东西向自己扑来，泰山并不害怕，反而觉得生气。泰山以为这头野兽要从自己这里争食，算不得什么劲敌。他认为自己会把它收拾掉，但是泰山这时正饿，急着想吃，便扛上鹿，跳上附近的树跑了。他认为，只要上了树，就不怕有什么东西追他。泰山从声音上判断，那个东西很大，自己即使爬到三十英尺以上高的树枝上，恐怕也难保安全。若是那东西臀部着地坐起来的话，还会高些，也许前爪能抓到五十英尺处。

泰山此时已来不及细想了，最好还是快些跑。他扛着鹿，像猴子一样在树上攀跳,行动非常敏捷。当那东西追到树下时,泰山已到安全的高度了。那野兽在树下看着泰山,干瞪眼却没有办法。泰山忽然看见潘纳特丽也在这棵树上,在那儿吓得瑟瑟发抖,觉得非常奇怪,便问道:"你怎么也到这里来了?"

潘纳特丽把自己赶到这里来的原因告诉了泰山。

泰山说:"你是想保护我而来,真够仗义的。刚才不知道为什么,我竟没闻到那东西的气味,而且它是从上风头来的,直到它大吼一声向我扑来时,我才发觉。这究竟是什么道理?平时我的嗅觉是很灵的呀!"

潘纳特丽说:"这没有什么奇怪,它就是格雷夫,据说谁都不能预先发觉它的踪迹。这种东西虽然很大,但走路却是没有声音的。"

泰山说:"但是,我总该闻得到它的气味呀!"

潘纳特丽说:"闻?现在它就在树下。你闻闻看,能闻到它的气味吗?"

泰山认真闻了一下,说:"不错,一定是格雷夫的气味太淡薄了。我射到了一头鹿,我是循着鹿的气味去找的,鹿的气味远远盖过了它的气味。"泰山又向树下望了望那头格雷夫,再次地迎着风闻了一会儿,才说:"啊!我知道了我刚才闻到的气味,一定是另一种野兽留下来的。"

停了一会儿,泰山说:"潘纳特丽!你听说过三角兽这个名称吗?你所说的格雷夫,就是三角兽,也叫三角恐龙。它们原本生存在几千万年前,我在伦敦博物馆看到过它的模型。起初我怀疑是动物学家假想出来的,现在才相信,原来世界上真有这种东西。

不过，它和那个模型多少还是有点不一样。这样看来，离这里很远的地方，不知经过多少次沧海桑田的变化了，但是这里却始终没变。这种野兽在别的地方早已被淘汰，而帕鹿顿却还有它们生存着。"

潘纳特丽听得出神，不由得喃喃自语："三角兽，伦敦……你说的我从来都没听到过。"

泰山笑了，笑自己是在向夏天的虫子描述冬天的冰雪。他折下一条短树枝来，向下面的格雷夫扔去，格雷夫发怒起来。泰山低头仔细看这头野兽，心想若是它站在地上的话，约有二十英尺高。它全身的毛片是蓝黑色的，眼眶四周也有蓝色的毛。它的红头上夹杂着黄色的纹理，脸是黄的，肚子也是黄的。背上有三根脊骨，上面都生着毛。三根脊骨上的毛颜色还不同，中间的一根是红的，两边的是黄的。古代的三角兽，有五个蹄子和三个蹄子的，而现在的格雷夫，都不再是蹄子，而衍变成爪状了。不过它头上的三只角依然存在，两只大一点的角长在眼睛的上部，而较小的一只长在鼻子上。全身大约有七十五英尺长，尾巴也很粗很长。单是它尾巴的力量就能抵得过一头小象。它的眼睛小而有光，张着大嘴，露出尖利而可怕的大牙，瞪着树上的泰山。

泰山在树的高处也瞪着它，喃喃地说："你的祖先本是食草动物，你现在可变得要吃人了！"泰山转过头来对潘纳特丽说，"让它在树下叫唤去，咱们走吧！吃饱了鹿肉，回山洞休息一下，然后到狮子谷去找欧马特，欧马特还急着要找你呢！"

潘纳特丽耸了耸肩说："走？你想得倒美，恐怕咱们离开不了这里啦！"

泰山不解地问:"为什么?"

潘纳特丽没有说话,只用手向下指了指格雷夫。

泰山明白了她的意思,她以为要走就非得先从树上下去不可,便说:"不要紧,这东西不会爬树,我们可以从树上走,我把你扛在肩上,能在树上走得很快,它追不上。等我们攀上悬崖,回到山洞,它还不知我们上哪儿去了呢!"

潘纳特丽摇摇头说:"你想得太容易了,它的本事也大着呢!我们从树上走,它也一定会跟来的。不管我们怎么走,都难把它摆脱掉。"

泰山说:"既然这样,我们就不走,反正有鹿肉吃。我们跟它耗时间,它等不耐烦了,总会走开的吧?"

潘纳特丽摇摇头说:"不会的,不但这头格雷夫不会自动离开,更可怕的是还会有另外的图尔欧顿来。图尔欧顿和格雷夫是朋友,不论它们之中的谁杀了咱,都会留一部分给对方吃。"

泰山说:"这个地方你比我熟悉,也许你说得不错,可是咱们不能总待在这里等死啊!我们一定要想办法走。让我们来试一试。"于是泰山扛着潘纳特丽在树上走,果然像潘纳特丽说的一样,他们走到哪里,格雷夫在树下就跟到哪里。走了一会儿到了林边的空地旁,悬崖就在五十米之外,已经遥遥在望,可是格雷夫也来到了这里,就在树下等着。他们根本不能从树上下来走过这五十米的道路。

泰山一时没了主意,望着树下的格雷夫,他开动脑筋思考如何脱身。

七
丛林妙计

泰山看着潘纳特丽问:"你能用很快的速度从树下奔上悬崖吗?"

她问:"你是让我一个人吗?"

泰山说:"不!当然是咱们两个人一起。"

她说:"如果你在前面领路的话,我可以紧跟在你后面。"

泰山说:"现在,你还敢从咱们来的那条路上再回去吗?"

潘纳特丽说:"有你同行,我当然敢。"

泰山说:"那么,你跟我来,照着我说的去做!"泰山说完便转过身,由树上向刚才来的路又折回去,他动作轻捷得像猴子一样,从这棵树跳到那棵树,希望能躲过下面格雷夫的眼睛。但走了一段之后,他才发现是徒劳的,不但原来的一头格雷夫没有甩掉,而且树下又多了一头格雷夫,两头都在树下守着。

泰山说:"我们再回去,它们或许会放松注意力。"于是他们又从树上向悬崖方向跳。跳到了树林的尽头一看,这次又白费力气了,那两头格雷夫仍旧守候在树下。

泰山和潘纳特丽不敢下去,只好停留在树上,望着前面的悬崖和山洞,思考着怎么才能脱身。只要穿过这五十米空地,就可以攀上悬崖了。悬崖下面,还躺着被泰山打死的那个图尔欧顿的尸体,从树上都能看得清清楚楚,可就是过不去。有一头格雷夫,过去把图尔欧顿的尸体闻了闻,却没有吃。

早晨,泰山和图尔欧顿决斗时,他仔细观察过对方的形状,觉得他不是高等人猿,恐怕是个下等人猿,泰山暗暗猜想,也许图尔欧顿是荷丹族和华丹族的共同始祖。泰山观察着,思虑着,一心想把潘纳特丽救出峡谷。他正在左思右想打主意的时候,忽然听到峡谷的另一边传来了一阵莫名其妙的叫声:"呋啊!呋啊!"

树下的格雷夫听到了,也抬起头向发出声音的方向望去。其中一只也发出低低的吼声,但是吼声中却不带着怒意。接着又传来了一声"呋啊!呋啊!"两头格雷夫都吼起来,"呋啊"的叫声不断地传过来,好像在附和着格雷夫的吼声。

泰山问潘纳特丽:"这是什么声音?你知道吗?"

潘纳特丽说:"我也不知道。我想不是一种怪鸟,就是一种怪兽,大概是峡谷里特有的怪物,等一会儿它出来我们再看。"

泰山眼尖,叫着说:"啊!来了,你快看!"

潘纳特丽一看,吓得颤着声音说:"坏了!又是一个图尔欧顿!"

泰山看那图尔欧顿,只见它站得笔直,手里握着棍子,慢慢向两头格雷夫走来。再看格雷夫,站在那里既不动也不吼,显出畏惧而顺从的样子。泰山目不转睛地盯着,想要观察出究竟。

图尔欧顿走到一头格雷夫跟前,伸手摸了摸它的头,轻轻拍了几掌,又用棍子在它脸上乱抽了几下。格雷夫居然就那样默默地站着,一点反抗的表示也没有。泰山这下可觉得奇怪了,那么大的格雷夫，竟在图尔欧顿面前这样服服帖帖。

那图尔欧顿又叫了起来："咴啊!咴啊!"只见一头格雷夫像听到了召唤一样，慢慢向他走过去。图尔欧顿又在格雷夫的鼻子上敲了一下，然后走到格雷夫身后，揪住它的尾巴，骑到它背上去了。"咴啊!"图尔欧顿像发令似的叫着。用棍子在格雷夫身上打了一下。那格雷夫非常顺从地驮着图尔欧顿走了。泰山像看魔术一样，几乎忘了目前危险的处境，潘纳特丽也跟泰山一样，简直看愣了。

另外一头格雷夫向上面望着，像报警一样，发出了咆哮声。图尔欧顿听后，似乎明白了有敌情，就又把骑着的一头格雷夫驱赶回来。

走到树下，图尔欧顿站起身来，站在格雷夫的背上，抬头向上望着。泰山也在摇晃着的树枝上站了起来，显出一副威武勇猛的样子。

泰山在树上站起，搭上箭，拉开弓，图尔欧顿只顾看着他，不明白这个动作是干什么，它正想上树攻击泰山，只听嗖的一声，一支箭已经穿过他的胸膛。它大叫一声，便从格雷夫的背上跌到了地上。

潘纳特丽不由得低声说："泰山最勇敢，泰山最可怕！"她此时此刻对泰山的敬佩，已经达到了极点，正像他们华丹族的武士对泰山肃然起敬的心情一样。

泰山转身对她说："潘纳特丽！现在图尔欧顿虽然被射死了，可是格雷夫一定会紧跟着我们的。看来，我们两个人要一块儿逃走是不可能的了。我有个想法，我们两个分开，你留在树上，躲在枝叶浓密的地方,那东西从底下看不见你。我向峡谷那边走去,这样它们一定会跟我走,等我把它们引开之后,你就跑过空地,到悬崖上的山洞里等我。至多等一天,我就可以回来了。若是明天早晨太阳出来时我还没有回来,你就独自回狮子谷,去找欧马特,这里有块鹿肉,留给你充饥。"说着,他就割下一条鹿的后腿,递给了潘纳特丽。

潘纳特丽说:"在这种最危险的时候,我不能离开你,按我们部落对待朋友的规矩,绝没有在患难中抛弃同伴的道理,假如我就这样回去了,欧马特也不会饶恕我的。"

泰山说:"你可以告诉欧马特,是我让你走的。"

潘纳特丽又问了一句:"这是你的命令吗?"

泰山说:"是的!潘纳特丽!照我说的去做,现在没有别的办法了,你快回到欧马特那里去,你该是华丹族最合适的酋长夫人了。"说完,他就从树上向峡谷方向走去,故意把枝叶弄出很大的声响。

潘纳特丽目送着他说:"再会!可怕的泰山!欧马特和我潘纳特丽结识了你这样一个朋友,真是幸运!"

泰山在树上故意制造出各种声音,好引着格雷夫跟着他走。他的计划果然成功了。他在树上走得飞快,让两头格雷夫紧跟着他,好让潘纳特丽早些逃回山洞。他衷心希望她能安然脱离危险,但转念一想,他不免又担心起来,因为在格雷夫山峡到狮子谷之间,还有狮子、图尔欧顿,甚至还有高卢尔的敌人。这些不但会妨碍她前进,甚至对她还有生命危胁。

泰山觉得,她很勇敢,而且也很聪慧,如在自己和图尔欧顿滚打时的紧要关头她适时地把刀递过来一样，万一在路上遇到危险，她或许自己有能力摆脱。

泰山为摆脱格雷夫用尽了心机，但始终没能成功。到了山谷的东南边，他瞥见有一根粗树枝伸到外面，以为可以从树枝上跳上悬崖。他攀上树枝一看，发现不行，泰山顿感绝望。想到帕鹿顿人那样怕格雷夫，情愿放弃这个山谷迁居到别处，恐怕还是有一定道理的啊！

到了夜里，泰山又不由得产生一个新的希望。在黑暗中，他的视觉虽然不是很好，但嗅觉是极灵敏的，何况他的视觉也比普通人强许多倍呢！在黑暗中他能看见东西，所以泰山在夜晚的林中并不感到害怕。他手脚、眼睛、耳朵、鼻子并用，在树上走来走去，想借着黑夜逃离险区，但一直没能躲开格雷夫的追踪。到了后半夜，泰山对格雷夫不睡觉感到奇怪，便想：自己与其徒劳无功地在树上乱转，还不如先安安稳稳地睡一觉，以便养精蓄锐。想到这里，泰山便找了个合适的树杈，靠着树身入睡了。

泰山美美地睡了一觉，等他醒来时，太阳已经升得老高了。他实在是睡足了，所以精神很振奋。但是低头看看树下，那两头格雷夫竟还在那里。原来泰山以为他睡着了，树上没有动静的时候，格雷夫也会疲倦，也会松懈一下。哪知他刚一动转，树下的格雷夫马上低吼起来，也在树下随之移动，泰山只好又坐在树上。

泰山在丛林里生活了这么多年，还从来没遇到过被野兽死死困在树上的窘境。他想到这里，低头看了看格雷夫那丑恶狰狞的嘴脸，不觉怒气从心里升起来，于是他在树上摘了一颗硬壳果，对准一头格雷夫扔去，正好打在它两眼中间。泰山以为这下总会把这东西惹恼了,谁知不然,那格雷夫只摇了摇头,反而转身走开了几步。

格雷夫的这个动作,倒给了泰山一个启示:记得昨天那头图尔欧顿曾用棍子打格雷夫的头,也是打在两眼之间,那时格雷夫也一点反抗的意思都没有,恰恰和现在一样!这让泰山又想到了一个主意,但这个做法非常危险。

泰山平生是不怕危险的,俗话说置之死地而后生。丛林里的动物也有这个习惯,遇到危险的时候,不惜孤注一掷,因为面对死亡的威胁,也只有把生死置之度外,拼死一搏了。他明知这一搏生死难卜,但是,看来非这样做不可了。主意拿定后,他反倒镇静了。

他向周围环顾了一下,选了一根粗树枝,直径两寸左右。他用刀砍下来,削去枝上的小杈和叶子,做成一根约有一丈长的木棍,又把木棍较细的一头削尖。他低下头,对树下的格雷夫叫道:"咳啊!咳啊!"

两只格雷夫都抬起头,看着泰山,这次有了不同的反应,它们发出的不是吼声,而是低低的哼声。

泰山又叫着:"咳啊!咳啊!"同时把吃剩的鹿肉扔给它们。

两头格雷夫立刻走到死鹿旁边争夺起来。其中一头先抢到鹿肉,想独自享用,另一头赶过来也一口咬住了。两下里一扯,一块鹿肉就被撕成了两半。这时,泰山已经从树上走到地面上来了。它们一边衔着鹿肉,一边看看泰山,有一头格雷夫叼着鹿肉走到了泰山的面前。泰山又喊了两声:"咳啊!咳啊!"格雷夫就站在那里不动,露出了疑惑的神情。泰山向格雷夫走去,手里挥舞着木棍,嘴里不停地喊着"咹啊!咹啊!"

格雷夫顺从地向泰山走来。难道这两头吃人的野兽真的能听泰山驱使吗?

潘纳特丽躲在树上枝叶浓密处,听着格雷夫的咆哮声越来越远,知道泰山引诱着它们远离了这棵树,自己已经脱离了危险,就从树上跳了下来。她飞快地向悬崖底下跑去,一口气穿过空地来到悬崖脚下。那个图尔欧顿的尸体还在那里。

她急忙攀着石桩,上了悬崖,爬到了她前夜住宿过的山洞。她休息了一会儿,在靠近山洞口的地方烧起了一堆火,把泰山给她的鹿腿在火上烤熟,吃了个饱。觉得渴了,她就喝洞旁的溪水。她按照泰山的吩咐,坐在洞里等泰山回来,远远还能听见格雷夫的咆哮声。她挂念着泰山,不知他的安危如何。她非常感激泰山不惜自己冒险,以身诱敌让她平安脱险。她虽然不是个文明社会的女子,也懂得泰山的行为是舍己为人,令人敬佩的。而且泰山又说他是欧马特的朋友,想到这里,潘纳特丽心里对泰山更加崇敬。但她等了一天一夜,始终不见泰山回来。她记着泰山临别时的话,如果第二天太阳升起的时候他还没有回来,就不要等他了。第二天早晨,潘纳特丽等了又等,总不见泰山回来,只好垂头丧气独自寻找道路回狮子谷去。

潘纳特丽唯恐遇到危险,所以一路上非常小心,专找弯弯曲曲的小路走。但她最终仍是没有回到狮子谷。她在几天之后,终于在路上遇上了危险。但她遇见的不是图尔欧顿,也不是凶猛的野兽。这一次,可没有泰山来救她了。

她来到高卢尔,一路上平安无事,所以便放下心来,以为可以和久别的族人相见,和日夜想念的恋人欧马特说说知心话了。她一边想着,一边谨慎地穿过山谷。她正在小道上走着,忽然从小道旁边的灌木丛里冲出来二十多个荷丹族的武士把她围住。她大吃一惊,见无路可逃走了,不禁大怒起来。这次她只有拼命了,于是抽出刀来向荷丹族的武士乱砍。荷丹族的武士想要活捉她,所以只是招架。到后来,她手里的刀被夺走了,终于寡不敌众被活捉。他们把她紧紧捆住,还用木塞塞住她的嘴,以防她用牙齿咬人。

潘纳特丽还想反抗,不肯跟他们走,有两个武士抓住她的头发往前拽。她看这形势,再挣扎也没用,所以不如暂时忍耐一下,以便今后找机会逃走。她主意拿定,就顺从地跟着他们走。途中她看见另外还有一群武士,也押着好多个像她一样的华丹族俘虏。她明白了,这些人是抓去给荷丹人当奴隶的。看到有这么多同族人,潘纳特丽心里反而高兴起来,她可以借众多同族人的力量脱离危险,而且她也可以发动这些俘虏共同抵抗这群荷丹族人。

这两批武士会合后一同向山谷走去。潘纳特丽听他们在路上闲谈,知道要押这批俘虏到阿卢尔城去,也就是被人称为光明城的地方。

这时,欧马特正在山洞里急得心如火燎:既不见好友泰山回来,也不见恋人潘纳特丽的身影,这两个人到底遇到什么事了?

八
阿卢尔城

帕鹿顿的大沼泽地中间有一个大池塘，前面我们已经说过，有一个男子在这个水塘中洗澡。他还没洗完，忽然发现水面上不知从哪里来了一只巨大的爬虫。看那样子，这爬虫要攻击他。

他知道自己遇到危险了，心里盘算是不是拔出刀来抵抗，但看那爬虫的个头，用刀不一定能取胜。如果在陆地上，也许还好对付，至少可以用枪来结果它的性命，但现在在水里，怎么把子弹装进枪膛呢？更何况他对剩下的仅有的一点点子弹，看得比生命还宝贵。有几次遇到危险，他都不肯浪费一粒子弹。现在是：他既想节省子弹，在水里也无法用枪。

他现在的处境确实很危险，能逃过这一关的可能性非常小。但他生性勇敢，决不肯束手等死。他拔出猎刀来，握在手里，暂时不主动进攻，看那凶恶的爬虫有什么动作。这爬虫形状非常特别，乍看起来不像是生物。他仔细端详，发觉它长得有一点像鳄鱼。他有生以来从未见过这类生物。这可怕的爬虫游得很快，张着大嘴，好像要把人吞下去似的。那人自知在水里很难用刀战胜这么巨大的对手，在思索该怎么办。可这时那爬虫就要到他身边了。就在这一瞬间，一个脱险的妙计在他脑际闪过。

那人潜入水底，游到那个爬虫的身子底下。

那人足足地吸了一口气，把头一低，潜入水底，游到那个爬虫的身子底下，使劲用刀戳进那爬虫的肚子。他估计刺进去很深，便竭力往前游，大约游出去有十几米的距离才浮出水面。回头看那爬虫时，发现它正在水面上发狂地跳着。那东西似乎受了致命伤，不断发出惨叫声。他知道爬虫离死不远了，就不再耽搁，很快地向对岸游去。到了陆地上，他顾不上休息，就继续往前赶路了。

这人走了约两个小时才出了沼泽地。在距路边一百米的地方，有一条弯弯曲曲的小河。那人坐在草地上休息了一会儿，又跳进河里洗澡。他为什么又要洗澡呢？因为刚才沼泽地中间的那个水塘，水本来就不太干净，加之他从池中出来之后，又走了很长一段沼泽地，浑身又弄脏了。现在有这么清澈的河水，他为什么不跳进去，痛痛快快地洗个澡呢？同时，他还把携带的武器和围在腰里的狮皮，都洗了一遍。然后，他在草地上晒了一个小时的太阳，并且用干草擦拭着他从英国恩菲尔德带来的长枪。到了中午，他带着这些擦拭一新的武器又开始上路，继续寻找他想寻找的踪迹。虽然这些踪迹目前还很渺茫，但他有决心凭自己的能力找到。

我们再回来说泰山。他从容地模仿着图尔欧顿的样子向两头格雷夫走去。他试探着走到其中一头身边时，心里还是觉得没有把握，看看那头格雷夫，既不向自己进攻，也不后退，只是冷冷地凝视着自己。泰山便用木棍在它脸上打了一下，喝道："咴啊！咴啊！"这格雷夫突然往前走了两步，靠近泰山，却又转过身来，用尾巴对着泰山，正像原先它对图尔欧顿那样。泰山也照着图尔欧顿的样子,揪住它的尾巴,跳到它的背上,又用木棍尖戳了一下格雷夫,格雷夫居然老老实实地往前走了。于是,泰山把手里的木棍作为指挥棒,忽左忽右地向山谷那边走去。

起初泰山只不过想哄骗一下格雷夫,自己还是打算找机会逃走的。但他在格雷夫背上坐得稳稳的,格雷夫又不反抗,他忽然想起幼年时骑在象背上的情景,便渐渐打算就这样拿它当个坐骑,找食物找水也方便。

泰山心里安定下来以后,不由得想起了潘纳特丽。真不知她此时是平平安安回到家里了呢,还是又遇到了什么危险。他总感觉在这件事上,自己没能善始善终,有点对不起欧马特。从潘纳特丽身上,他又想到自己的妻子琴恩,假如她真在帕鹿顿一带的话,多半会混杂在荷丹族人里。这样,他就必须到阿卢尔城去。他想,他骑着格雷夫进阿卢尔城,该是不会受到什么阻挡的,因为帕鹿顿这地方的人都非常害怕格雷夫。

有一条小溪从格雷夫山崖流到山脚下,和从高卢尔山谷间流下来的水合到一处,变成了一条小河向西南方向流到阿卢尔城的大湖里。小河穿过阿卢尔城之后,又向下流去。在这个河边上有一条小路,那是不知由多少代人用赤裸的双脚踩出来的。这条路可以直通阿卢尔城。泰山骑着格雷夫,穿过一丛树林之后,已经遥遥望见阿卢尔城了。

小路旁边长着丰茂的绿草,高达人腰。两侧的绿树又高又大,像一柄柄巨伞,上面还有藤蔓植物攀附着。走入这样的环境里,真像进了世外桃源一样。泰山骑的格雷夫,可能嫌走的路太长了,不时发个倔脾气。每逢这种时候,泰山就用木棍制服它。下午，他来到一条河边，看见对岸有一群荷丹族人，他们也看见了泰山。他们都停住脚，惊奇地凝视着泰山和他骑着的格雷夫，直到他们的领队人下了命令，他们才又往前走。泰山在这边也看清楚了，他们这群人中还夹杂着一些华丹族人，这当然是从华丹村落中掳了去的。过去，泰山从塔丹和欧马特的谈话中就知道这类事了。

对岸的嘈杂声使格雷夫又发起脾气来，中间虽有一条河隔着，格雷夫竟要冲过去。泰山赶紧用木棍又打又戳，它才回到小路上，但不时还要耍点脾气，过了好一阵子才老实。

太阳渐渐西沉了，泰山忽然想到，骑着格雷夫进阿卢尔城去恐怕不那么容易。因为格雷夫变得越来越不听指挥了，并不住地发出饥饿的咆哮声。泰山不知道到了夜里，图尔欧顿是用什么方法对付格雷夫的。虽然他曾经制服过多种野兽，但现在面对的是格雷夫，过去的经验不能套用。现在泰山还想到一个问题，那就是自己怎么从格雷夫身上下来。根据一路上的经验看来，只要用木棍打它的鼻子，它就停下不走，是否可以趁它停住的时候下来呢？泰山不知道下来之后，它会不会攻击自己。泰山心里还在打着另一个主意，那就是等格雷夫走近一棵树的时候，自己很快地跳上树去，这样，格雷夫即使要反抗，也奈何不得他了。但转念一想，这方法不好，格雷夫又会死守在树下，把他死死地困在树上。泰山踌躇了一阵，还是决定打它的鼻子，它果然站住了。泰山试探着从它身上跨到地上，又用木棍在它肚子上打了一下，它哼了一声，走开了，走到河边去喝水，喝个没完没了，显然它是渴坏了。

泰山看出格雷夫不会进攻自己，就大胆地去打猎。十几分钟之后，泰山已经打到了一只肥鹿，他扛着鹿爬到一棵树上，找一个舒服地方坐下大吃起来。

泰山吃饱之后，割下一大块鹿肉，来到刚才和格雷夫分手的地方。见格雷夫喝足了水，果然在那里等自己，泰山就照着图尔欧顿的样子叫了两声，格雷夫抬头看看泰山，低低地回应了一声。泰山听得出来，这不是咆哮，而是答应主人的声音。泰山把鹿肉丢给它吃，它便满足地大嚼起来。

泰山又回到方才吃鹿肉的树上，自言自语地说："管它是什么怪物，只要为我服务，我就给它东西吃。"说着，他就找了一个树杈睡觉了。

第二天早晨泰山醒来，跳下树向河边走去，卸下他的武器和狮皮，在清澈的河水里洗了个澡。然后他回到树上，把昨天剩下的鹿肉吃了，又从附近的树上摘些野果来吃，这样，渴和饿的问题都解决了。接着他呼唤起格雷夫，叫了好久不见格雷夫来。泰山知道它自己走了，心想，反正用不着它了，随它去吧！于是迈开大步向阿卢尔城走去。

泰山睡好了，也吃足了，精力非常充沛。他迎着晨风，沿着河流，大踏步地到阿卢尔城去。一路上，他欣赏着自然美景，同时也赞叹着阿卢尔人的艺术。

当泰山走近阿卢尔城的时候，发现那些房屋都是在石山上凿成的。他由衷地佩服荷丹人的聪明和吃苦耐劳的精神。这些房屋，真是既美观又经济。他靠近一看，房屋外面居然还有围墙。围墙大都是用凿屋剩下来的废石砌成的，甚至连城里的道路，也是用这种废石铺成的。泰山非常赞赏这种废物利用法。

泰山望着街上来来往往的荷丹人,那些人也看见泰山了,但没有人特别注意他,因为猛然看起来,他和这些人没有什么区别。泰山看了一阵,就昂首阔步地进了阿卢尔城。第一个发现泰山特别的是个小孩子,他跟在泰山后面喊道:"看哪!他没有尾巴!他没有尾巴!"那小孩一边喊着,一边用石块向泰山掷去。然后他又惊呆了,因为他发觉泰山不是断了尾巴的荷丹武士,而是另外一种生物!于是他飞快地转过身去,惊叫着跑回家去。

泰山继续走他的路,没理会那孩子,就好像根本没发生什么事一样。走到街道的拐角处,泰山碰到一个荷丹族的武士,见他用满脸疑惑的神情看着自己,就先开口说:"我是从远方来的,有事要见你们的国王戈坦。"

那武士听了泰山的话,一边用手按着刀柄,一边向后退着说:"阿卢尔城是不容许生人进来的,来的不是仇人,就是奴隶。"

泰山说:"我到这里来,既不是你们的仇人,也不是来当奴隶的,我是从真神那里来的。如果不相信,你看!"说着,便伸手给那武士看,又转过身去,让他看看自己是没有尾巴的。原来,泰山从塔丹和欧马特的争论中,已经知道他们认为真神是没有尾巴的了。

武士看了泰山身上这些特点,显出惊奇和敬畏的样子,但仍带着疑虑说:"真神?我只能断定你不是荷丹人或华丹人。我也听说过真神是没有尾巴的。好吧!现在我领你到戈坦那里去。这事你找我还真找对了,其他的武士还真办不成这件事。你跟我来吧!"于是他在前头领路,带泰山往前走,但他的手仍按在刀柄上,这说明他对泰山仍有戒备心。

阿卢尔城面积很大,一簇簇的房子,有的比较密集,有的又距离很远。有些房子是倚山凿成的,又高又大。泰山一路上在武士身后走着,迎面碰到几批武士和女人,都用非常惊奇的眼光看着他。等大家知道他是到国王戈坦那里去的,也就不再猜疑了。

最后,他们来到一座很大的房子前面。这个房子的西面有一个大湖,屋子和围墙非常高,泰山在这座城里还没见过比这座房子更高的。他跟着武士走到一道门前,那里有十多个武士把守着,一见泰山,他们都站起来拦住去路。那领路来的武士说明了来意,他们才放这武士和泰山进去。走进院子里,又被另一群武士拦住,一个武士进去通报戈坦。大约十五分钟之后,从里面出来了一个身材高大的武士,身后还跟着很多卫队士兵。大家一看泰山的样子,都十分惊讶。那高大的武士走到泰山跟前问:"你是谁?找国王戈坦有什么事?"

泰山说:"我是你们的一个朋友,我从真神那里来,来拜访帕鹿顿的戈坦。"

泰山这句话一出口,武士们似乎都吓了一跳。泰山见他们叽叽喳喳不停地议论着。

那高大的武士又说:"你是怎么到这里来的?要见国王戈坦有什么事?"

泰山见那些武士交头接耳议论个不停,这高大的武士又盘问起来没完没了,就挺了挺胸膛,高声说:"够了!你们就是这样对待真神的使者的吗?你们把真神的使者当成一个游荡的华丹人来看待了吗?快领我去见戈坦,否则惹怒了真神,他会降灾于你们荷丹族的!"

那高大的武士本来还有许多问题要盘问泰山,但经泰山这样煞有介事地一吓唬,就再不敢往下问了。他望着东方的天空,伸出右手,打算放到泰山的胸口上去,而左手放在自己的胸口上,这是帕鹿顿人通常表示敬意的方法,泰山从塔丹和欧马特那里早已知道这些动作的意思了。

但这次泰山却向后躲开了,避开武士伸过来的手,同时面带轻蔑的神情说:"住手!我是真神的使者,谁敢轻易碰我?只有戈坦才能接受我的回礼,你们快点领我去见他。我已经等得够久的了!难道你们阿卢尔城的荷丹人,竟敢斗胆侮辱真神的使者吗……你们竟敢侮辱真神的儿子吗?"

泰山为什么又突然改口,称自己是真神的儿子呢?因为他觉得充当真神的使者这个角色,万一露出一点点破绽,会把自己置于一种困窘的境地,在举止礼仪上也许会不方便;加之,他边说话边观察着对方,他觉得从他们的神情来看,他说的话已经发生效力了。既然如此,他认为与其充当真神的使者,还不如充当真神的儿子更有威慑力。

果然,那些武士听了他这话,都改变了神色,吓得直往后退,再也不敢挨近泰山了。刚才说话的那个武士也央求说:"请宽恕我的无知!天神的多罗鲁(儿子)!请宽恕我这个可怜的达克洛特吧!我马上领你去见戈坦,他正在等着你呢!"他转身又对那些武士说:"让开些!你们这些小子!不知好歹的东西!"

泰山很威严地吩咐道:"你在前边带路,让他们跟在后面!"

达克洛特一副诚惶诚恐的神情,顺从地听着泰山的吩咐。泰山被他们簇拥着,走进了帕鹿顿国王戈坦的王宫。

九
血染的祭坛

泰山跟随在武士身后,大摇大摆地往王宫里走。王宫里的装饰实在豪华,墙上雕刻着各种动物的图形。他穿过外面的一间屋子,进入另外一间,也是非常富丽堂皇的,墙上同样刻着人、兽、鸟等的图形,刻工非常精细。由这些雕刻可以看出,帕鹿顿前人人的技艺水平已经不低了。房子里陈设着石器和金器,件件考究。泰山仔细观察着,发觉屋里唯独没有纺织品,可见荷丹人在这方面还处于一种较低的文明阶段。走过了几间房屋和长廊,来到一个突出来的地方,这里可以望见蓝色的大湖。泰山跟着达克洛特来到一个宽大的门外,泰山想,这里面该是戈坦的王宫了吧?

泰山向里望去,见里面有守卫的武士。他还看见天花板离地很高,大约有五十英尺的样子,还有一个大的黄金塔,塔顶是圆形的,下面有台阶,可以一直通到天花板上面。天花板上有个开口,从那里有亮光透进来。每级台阶上都站着武士,在顶上坐着一个体格魁梧的人,身上戴着许多黄金饰品,那些金饰被午后的阳光照得闪闪发光。

达克洛特对着塔顶上的那个人高声说:"戈坦国王!还有帕鹿

顿的武士们!我们荣幸地接待一位贵客,真神派遣他的儿子,到我们这里来了!"他站在旁边,伸出手,毕恭毕敬地指指泰山。

戈坦站起身来,那些武士们也都转过脸来望着泰山。连站在金塔对面的武士也都围了过来。大多数人脸上仍带着疑惑的神情,他们望着自己的国王戈坦,似乎想看看戈坦怎样对待这位神奇的来客。但戈坦的神情也和他们一样,这些武士们的心里更忐忑不安了。

泰山的身子站得笔直,两个手臂交叉在胸前,摆出一副神圣不可侵犯的样子。这时屋子里静极了,连一根针掉在地上都听得见。达克洛特也显得局促不安。他看看泰山,又看看戈坦,似乎也拿不定主意该怎么办。

终于,戈坦先开口了。他威严地说:"谁说他是真神的儿子?"并冷冷地瞪了达克洛特一眼。

许多武士都小声嘟囔着说:"是达克洛特说的。"

戈坦眼睛盯着达克洛特问:"是真的吗?"

戈坦的问话语气非常强硬,达克洛特看了泰山一眼,似乎希望他自己出来承认,但泰山仍泰然自若地站着,根本不理达克洛特递过来的眼色。

达克洛特实在无可奈何了,对戈坦哀求着说:"国王!请您用自己的眼睛来判断他是不是真神的儿子吧!他的手脚跟我们不一样,又没有尾巴,咱们国里的人都知道真神是没有尾巴的。"

泰山身上的这些特征,刚才戈坦第一眼就看见了,他只是要用自己的威严来吓唬一下,如果泰山是假装的,也许经不住这一考验。谁知泰山神色不变,泰然自若。这时,一个年轻武士从金塔对面推开众人走到泰山面前,仔细把泰山审视了一阵,忽然高声说:"戈坦国王,我能证明达克洛特的话是真的!昨天我就看见过这个人。昨天下午,我们押着俘虏从高卢尔峡谷回来的时候,曾经看见过这个人骑在一头巨大的格雷夫身上。我们经过的时候,虽然他在树林中,但我们还是看得一清二楚。骑在格雷夫背上的,就是现在站在这里的这个人。我们都知道,格雷夫是多么可怕的东西,他能把它降服,就不会是个普通人。"

这话一出口,大家顿时都静下来了。这可是个很有说服力的证据,大家心里的疑团似乎都没有了,脸上也都浮现出了敬重的神情。武士一个个都往后退,一会儿工夫,泰山身边空了一大块。戈坦和武士们一样也相信泰山是真神的儿子,但他一时还不能放下架子来,所以故作镇静地说:"假如你真是真神的儿子,你应该理解,我们刚才的疑惑不是没有道理的。因为我们没有得到真神的任何暗示,说要把这份荣耀赐给我们,同时,我们怎么能知道真神是不是有个儿子呢?如果你真是真神的儿子,我们全帕鹿顿人都会对你恭恭敬敬;如果你胆敢冒充,亵渎了神明,你可是要受到惩罚的。现在我郑重地告诉你,我就是帕鹿顿荷丹族的国王戈坦,你有什么话要对我说?"

泰山这才开口说:"这就对了,这才像个国王说的话。国王本来应该率领你的臣民,信奉你们的真神的。我确实是真神的儿子。真神是派我到这里来考察的。现在我已经看出,真神确实是有神力的,他把一个国王应有的聪明才智,在你出生前就注入了你的体中,使你能胜任一个国王的职责。"

那些武士们听了泰山的话,不由得肃然起敬。他们这时才知道，他们的国王原来是生前注定的，他是真神选中的一个婴儿，然后赋予他做国王的一切素质。他们这时又想，面前站着的这位真神的儿子，一定是经常和真神在一起，决定这一类大事的。假如他能常常到这里来，一定能让人明白许多平时不明白的事。

泰山既和蔼又严肃地对戈坦说："你不必怀疑，你应该相信我不是冒名顶替的。你们不妨走近来看一看，就可以清楚地看出，我绝不是和你们一样的凡人。戈坦！你现在也不应该站得那样高，难道你应该站得比真神的儿子还高吗？"

戈坦立刻站起来，从塔上往下走，但仍不失国王威严的神态。泰山等他走到自己面前，又对他说："现在，你该看清楚了，我确实和你们不一样吧？我想，你们的祭司平时一定告诉过你们，真神是没有尾巴的，所以凡是没有尾巴的，都是和真神一样的，都是真神派出的使者。你知道真神的力量有多大吗？他可以在天空发出闪电，发出震天动地的雷声；他可以用雷电杀人，也可以用雷电把上千年的大树击倒，难道你们没看到过这些事实吗？他还可以使天空下雨，让你们的农作物有好收成。花草树木的繁衍生长，无一不听他的指挥。你们的生杀之权也操在他的手中。我再郑重地警告你们，如果戈坦不承认我，我的父亲会打倒你！不论是谁，胆敢怀疑真神，真神都会打倒他。"

泰山说得入情入理，而且强硬有力，戈坦现在已经十分相信了。他觉得应该好好款待这位真神的儿子，但他不知道应该用怎样的仪式，因为这种事在他们国里是从来没有过的。他只是听前辈人说过，凡是人类喜欢的，真神也喜欢。既然他是真神的儿子，那么，他的好恶想来是会和真神一样的吧？于是戈坦决定摆宴席招待他,专拣自己平时最爱吃的食物招待他,还备了荷丹妇女精制的果汁酒。戈坦根据自己的生活经验,知道饮了这种酒,能使人感到快乐,还可以消除疲劳和烦闷,于是决定用这种酒供奉真神的儿子。

在这个国土里,除了历代国王之外,从来没有人到过阿卢尔城王位的金塔顶上。戈坦心想,如果让真神的儿子和自己坐在一起,那该是多么荣耀啊!所以,他决定请泰山到塔顶上去。泰山一点也不推辞,和戈坦并肩走上了塔顶。到了塔顶上面,戈坦刚要坐上自己的王位时,泰山却拦住了他,面色庄严地说:"无论是谁,也不能和真神派来的使者并坐,真神既派我来,我当然就代表真神了。"他说着,自己就先坐到王位上去了。戈坦站在旁边,当着众多的武士感到十分尴尬,但又没有别的办法,只好呆呆地看着泰山。

泰山向左右和下面的武士们看了看,才开口说:"真神对于他忠实的奴仆,是可以格外施恩的,准许他坐在自己的身旁。戈坦!我允许你,我以真神的名义允许你,你可以坐到我旁边来。"

泰山这样做,无非是想取得戈坦对他的尊敬,但同时也怕引起他的反感,因为荷丹人对他这个所谓的真神的儿子到底相信到什么程度,他也心中没数。他让戈坦坐下,也有收服众人之心的意思。他看了看戈坦和武士们,脸上都没有不满的表情,便放下心来。

泰山看王位下面的一层台阶上站着一个武士,他问了戈坦,才知道站在王位近处的都是部落里的高级酋长。泰山特别注意那个高大的武士,见他身体比一般的武士健壮,所以禁不住多看了他几眼。

后来，他见这武士向戈坦低声说话，但又听不清他们说什么。后来，戈坦告诉他，那身材高大的武士叫约东。泰山忽然想起来了，塔丹曾经告诉过他，约东是他的父亲。这时泰山可不能告诉约东自己是塔丹的好朋友，否则，自己装神弄鬼的把戏就会彻底戳穿了。

宴会后，戈坦邀请泰山去参观庙宇，因为那儿正在准备祭神大典。泰山应允，便让戈坦引路。他走在戈坦的旁边，身后跟着王宫中的全体武士，经过了几条走廊，径直向王宫的北面走去。

原来，这庙宇本是王宫的一部分，泰山见每个殿堂的东西两面都各有一个椭圆形的祭坛，也都是用整块石头凿成的。祭坛的上面没有屋顶，阳光可以直接照射进来。泰山还注意到，东西这两个祭坛并不相同，西面的祭坛上凿有长方形的凹槽，而东面的祭坛却是平的，上面沾有黑紫色的东西。泰山靠他灵敏的鼻子嗅出，这是晒干的人血。

庙宇下面有好几道走廊，也有房屋延伸到群山里面去。一眼望进去，还有些阴森森的甬道。戈坦事先已经派人到庙里通知，说真神的儿子要来参观庙宇。所以，当泰山走到庙宇门口的时候，早有一群祭司在那儿等着了，那些祭司都戴着木制的面具，非常狰狞可怕，有些就是野兽的头。这些祭司都成了人身兽面的怪物，看不见他们的本来面目。只有总祭司没有戴。看得出这位总祭司的年纪已经不小了，他小眼睛，薄嘴唇，显得阴森残酷。

进了庙宇之后，泰山总认为总祭司对自己是最大的威胁，怕被他看出破绽。泰山很注意那总祭司脸上的表情，发觉他对自己很仇视。泰山也知道,总祭司是帕鹿顿人在宗教方面的权威,人们对他是很信仰的。如果被他识破自己不是真神的儿子,他吼叫一声,把武士联合起来对自己发难,那可就糟透了。

那总祭司名字叫鹿顿,对泰山倒没有什么特别的举动,只是也像戈坦和武士们乍见泰山时一样,表现出怀疑的神情。泰山想,他是总祭司,应该懂得敬重真神,那么对待真神的儿子,他也应该同样敬重。泰山就是利用他的这种心理,稳住了自己的情绪。

戈坦叫鹿顿领着泰山去参观庙宇,于是鹿顿就领泰山到一间最大的房子里。这里陈设着的东西很多,例如,有还愿的匾额,有帕鹿顿各部落酋长送的供品。其中有干枯的果品,也有纯金的器皿,连那几间与大屋相连的小屋和几条走廊都堆得满满的,简直成了王宫中的一座仓库。

泰山在庙宇中还看见许多华丹族人在这里充当奴隶,有许多供品也是抢掠来的。他们来到一个地方,前面有木栏杆挡着,泰山一看,里面关着许多俘虏,其中有华丹族的,也有荷丹族的,男女老少都有,全被囚禁在这里。这些俘虏大多数都坐在石地上,也有走来走去的,但脸上都带着沮丧和绝望的神色。

泰山看了,便问鹿顿:"为什么把他们关在这里?"这还是泰山进入庙宇之后,第一次开口说话,哪知这一问,引起了鹿顿的疑心。

鹿顿反问泰山:"真神的儿子!难道您不知道这些事吗?"

泰山神色镇定地说:"作为真神的儿子,我怎么会不知道呢?我问你这句话,是另有用意的,我是想提醒你们注意。鹿顿,你可知道,你们庙宇里的祭坛上杀人祭神,如果杀了不应该杀的人,这是会触犯真神的。你作为总祭司,难道不知道吗?"

鹿顿听了这话,脸色吓得灰白,战战兢兢地说:"关在里面的人,确实是用来祭神的,要用他们的血来润泽东面的祭坛,当太阳回到你父亲面前,今天就要过去的时候,祭神就要开始了。"

泰山说:"这是谁告诉你的?什么人说真神喜欢看他的人民把血洒在祭坛上?这恐怕是你的误解吧?或许是你的发明?"

鹿顿已经吓得战栗起来,说:"那么,以往杀死的几千条性命,难道都是没用的吗?真神没有受到祭享吗?"

戈坦、武士和祭司们听到泰山的责问,都非常吃惊。那些被囚禁的待杀的人们听到这些话,也都站了起来,他们希望事态能往有利的方面变化,希望能够得以生还。外面正是日落西山的时候,他们正猜测今天该轮到谁被杀呢!

泰山挥了挥手,指着那些因宗教迷信而被残酷囚禁的人说:"快把他们都放了,我以真神的名义告诉你们,你们过去杀人祭神的仪式,都是错误的!"

栏杆里面发出了一阵震天动地的欢呼!

十
紫禁园

总祭司鹿顿听了泰山这话,脸上顿时变了颜色,高声叫嚷起来:"这是什么话!这不是侮辱真神吗?我们这里祭神的仪式已经传下来不知多少年了。每晚都要杀一条生命献给真神,在这么多年之中,神从来没有表示过不高兴。如果说这是错误的,真神早该降灾给我们了!"

泰山用强硬的口气说:"住口!真神早就向你们暗示过多次了,只怪你们自己不明白,现在让真神的儿子说给你们听吧!你们的武士常死在华丹族的刀棒之下,你们族中打猎的人常被狮子或其他猛兽吃掉。荷丹的村落里,每天总有一两个人因为这样那样的原因死去,这都是你们祭坛上每天滥杀无辜的代价。对真神的愤怒,你还要求什么更明显的表示?哼!你真是个最愚蠢的总祭司!"

鹿顿静静地听着,心里非常烦乱,他有点怀疑泰山,但是又不免害怕,万一他说的是真的,那自己可就惹了大祸了。鹿顿心里虽然矛盾,还是低下头说:"我遵从真神儿子的命令。"便转过身去,对一个小祭司说,"把木栏杆打开,放这些人出去,让他们回到各自该去的地方!"

小祭司奉命，即刻打开了木栏杆，那些待死的囚徒一拥而出，欢呼泰山的救命之恩。

戈坦见鹿顿为了这一席话而打破了相传多代的规矩，心里隐隐觉得不妥，他转身用怀疑的语气问泰山："但是，我们到底应该怎样做，才能使真神满意呢？"

泰山不假思索地答道："假如你们真想让真神高兴，可以挑选上好的食品和装饰品，选你们人民最喜欢的东西供奉在祭坛上。把祭坛洗刷得干干净净，不要让祭坛上再见血迹。真神享用过这些东西之后，他会略施法力，把这些东西分给那些最需要它们的人。这样，人们才算受到了真神的恩惠。刚才我看到的堆在屋里和走廊上的那些供品，也应该分赠给国内的民众。这件事是应该做的，但也可以不马上做，稍缓一缓也不要紧。"说着，泰山就转过身来，表示要离开庙宇。

当他们拥着泰山从庙宇中走出来之后，泰山看见一所华丽的房屋孤零零地矗立在那里。它是由一块青石凿成的，顶端呈尖形，和其他的山石没有一点相连之处。泰山目光敏锐，一眼就看出这座石屋没有门窗，而且周围都有木栅栏隔着，很像是关什么人的。

泰山回头问鹿顿说："这座房子为什么防护得这样严密？你们又把什么人关在这里面啦？"

鹿顿神情紧张地说："没有没有，屋里一个人也没有，这是一间空房。从前这里曾经住过人，现在已经空了多年。"

他们一边说着，一边朝一道门走去，这道门是庙宇和王宫之间的分界处。到了这扇门前，鹿顿和全体祭司都停下来。只有泰山、戈坦和那些武士们走了过去。泰山刚才提出的问题,虽然鹿顿答复了他,但他心里总觉得不踏实。他打算找机会再问问戈坦。当然问法要巧妙些,不能太直露了。泰山最想知道的还是:有没有一个和他一样的没有尾巴的白人女子到过阿卢尔城。

他们的晚餐安排在王□的大餐厅里,陪客很多,旁边还有很多华丹族奴隶伺候着。泰山发觉其中有一个华丹人多次凝视自己。刚才泰山一走进餐厅时,那华丹族奴隶见了,好像吃了一惊,难道他认识自己?泰山却想不起来在哪里见过他。一会儿,又看见这个华丹黑奴在和另一个黑奴耳语,而且一边说一边朝泰山这边看。泰山也极力在自己的记忆中搜索着,但始终记不起在哪里见过他。泰山觉得他总瞧着自己,又和同伴嘀嘀咕咕,这里边一定有缘故。戈坦见泰山吃饭漫不经心,以为食物不对他的胃口,十分惶恐,问泰山喜欢吃什么,可以派厨师去另做,泰山摇了摇头。其实,泰山心里是在琢磨刚才黑奴交头接耳那件事,没有心思吃饭。可是那些陪客却狼吞虎咽,只顾默默地低头吃。这个场面倒让泰山回忆起当年在切斯特郡的伍德豪斯[①]拜访威斯敏斯特公爵时,曾参观过的巴克夏畜群的情景。

最后,那些陪客们一个个喝得酩酊大醉,有的伏在桌子上,有的倒在椅子下面,发出如雷的鼾声,怎么也叫不醒。戈坦也喝醉了,在这间大餐厅里,只有泰山和黑奴是清醒的。泰山想,还是早一点离开这里好,于是站了起来,对一个高大的黑奴说:"我想

[①] 泰山是否真的拜访过威斯敏斯特公爵大人并不重要。此处只在说明这些人的吃相活像一群猪。伍德豪斯原文为 Woodhouse,实际并无其地,亦可作木屋解,亦即猪舍之意,此处有双关语的意思,试译为伍德豪斯,特此说明。

睡觉,领我到卧室里去!"

那黑奴听了泰山的命令,就领他走出餐厅,原先那个死盯着泰山看的黑奴,这时又在和他的同伴嘀咕着什么。他的同伴对他说:"如果你真的没认错,我主张咱俩就去告密,肯定会立个大功。我们以告密为条件,要求他还给我们自由,我看这宗买卖是合算的。可是,话说回来,如果你弄错了,真神会重重地惩罚我们,咱俩可真吃不了兜着走啦!"

那黑奴说:"这一点你尽可放心,我敢保证没有看错。"

他的同伴说:"那么,事不宜迟,我们这就去。嘿!我告诉你件可笑的事,刚才真神的儿子到庙宇里去的时候,吓得最狼狈不堪的,你猜是谁?就是那个总祭司鹿顿啊!他听了咱俩的告密,有两种可能,一个是不相信,另一个就是气个半死。"

那黑奴问:"你认识鹿顿吗?"

他的同伴说:"有一段时间,他们曾派我在庙里做过事,所以认识他。"

那黑奴说:"既然如此,我们就直接告诉鹿顿本人,但必须要他答应恢复我们的自由,否则我们就不说。"

当这两个黑奴到阿卢尔城庙宇中找总祭司告密时,正有一个人走过巴斯得乌拉维德山(意谓父亲之山)。这时,月亮的清辉像水一样,照在那人裸露的背上。月亮也照着他背着的长枪,以及插在袋里的黄铜弹药筒,这些武器在月光下熠熠生光。子弹带缠绕在他宽大的肩上和平坦的胸脯间。

黑奴领泰山到他的卧室,从这间屋子里可以眺望到蔚蓝色的大湖。屋里有一张床,和他在华丹人那里见到的一样;还有一张石桌，上面铺着许多兽皮，也和在潘纳特丽洞中看到的一样。泰山躺到床上，一会儿就睡着了。他心里想着的事，没能找到机会问其他人，自然也得不出答案来。

第二天泰山醒来时，没有什么事可做，就一个人在王宫中到处闲逛，除了看到许多奴隶外，没看到什么人。泰山信步走到一间屋子前面，这间屋子的位置处在王宫的中心，四周都有围墙围着，找不到可以进去的门，这倒引起了泰山的好奇心。泰山之所以到处闲逛，是因为他想在王宫中找出点什么秘密来。这屋既没有门，也没有窗，泰山猜它可能是没有屋顶的，因为他看见附近的树枝向围墙里面垂下，没见有什么东西拦住它们。泰山找不到进入的门，就用绳索吊在树枝上，攀着绳索爬到了墙顶。

泰山从墙头上向里面一看，发现这里原来是一座花园，里面花草树木非常繁茂。泰山一心想探个究竟，也顾不得里面有什么人或什么野兽，便跳了下去。他在花园中仔细地巡视着，园里有人工开凿的小河和池塘，四周还种植着各种鲜花。看这花园里的布置，像是出自高级园艺家的设计，否则绝不会这样玲珑有致，高雅无比。围墙的色彩也和帕鹿顿的悬崖一样，是一片乳白色，反衬着园里鲜艳的红花绿叶，泰山不觉悠然神往地欣赏起来。

泰山解下绳索，从墙上跳下来，进到园里，轻手轻脚向前走去。他穿过树丛，来到一块小空地上，往前看去，前面花草缤纷。在花丛边，站着一个荷丹族的姑娘，泰山进宫后从没见过这女子。她很年轻，身材婀娜，泰山只能看到她的侧面，觉得她的容貌也很秀美。她站在花丛旁边，一只手里托着一只小鸟，她让小鸟贴在她的胸前，宛如一幅美丽的图画。在那姑娘脚前的草地上，坐着一个华丹族的女子,看样子是那位荷丹姑娘的女仆。因背向这边,所以泰山看不到她的面貌。泰山深恐惊动了她们,就躲在树后悄悄望着她们。那个荷丹姑娘无意间转过头来,一眼看见了泰山,但她并没有惊慌地大叫,只是用很平静的口气问:"你是谁?怎么这样大胆,竟敢到王宫花园里来?"

荷丹姑娘这样一问,那华丹女子也回过头来,她站起身,失声地喊道:"啊!可怕的泰山!"

那荷丹姑娘马上问那女黑奴:"怎么?你认识他?"这时泰山也看清楚了,那女黑奴原来正是潘纳特丽。泰山向她飞快地做了个手势,把食指竖在嘴唇前面。潘纳特丽领会了他的意思,马上改口说:"噢!不!我原以为……哎哟,不对,我认错了人……我把他错认成我在格雷夫山谷里遇见过的一个人了。"

荷丹姑娘见潘纳特丽支支吾吾,反而加重了疑心,她又看了看泰山,问道:"你还没有回答我,你到底是谁?"

泰山非常镇定地回答:"难道你没有听说吗?昨天有一位贵宾来拜访你们国王的事?"

那姑娘说:"我当然听说了,难道你就是那位真神的儿子?"

泰山说:"是的,我是真神的儿子。那么,你是谁?"

那姑娘说:"我的名字叫欧拉,是戈坦的女儿。"

泰山记起来了,欧拉不就是塔丹的恋人吗?泰山将计就计,往前走了一步说:"戈坦的女儿!真神的儿子喜欢你,会保护你的,同时,我也会保护你心爱的人,使他脱离险境。"

欧拉羞答答地说:"你的话我不明白,布洛特是我父亲王宫里一名受宠的武将,我不知道他会有什么危险?父亲已经让我和布洛特订过婚了。"

泰山说:"我知道你们订过婚了,可是我也知道,你真心爱着的人并不是他。"

那姑娘被人说破了心事,不由得涨红了脸,低下头说:"是不是我触犯了真神?"

泰山很肯定地回答:"不!真神很喜欢你,正是因为这个缘故,所以才搭救你真心爱着的塔丹。"

欧拉带着几分惊喜,低声说:"原来真神什么都知道,他的儿子和他一样有神力,自然也知道了。"

泰山赶紧纠正说:"不!不是那样。我所知道的,只是真神允许我知道的那一部分。"泰山为什么要这样说呢?因为他怕欧拉误以为自己无所不知,万一他说错了什么话,与真实情况对不上,那岂不露了马脚?所以他赶快给自己的所知加上了一个限度。

欧拉说:"那么,你能告诉我吗?我还能和塔丹团圆吗?真神的儿子,关于我的未来,对我来说是大事,对你来说,就是一件小事,想来你一定能知道的。"

泰山心里十分高兴,因为欧拉所问的这个问题,将对自己的计划有利。他于是对欧拉说:"我不能预言未来的一切,这些必须得真神告诉我。但是我能肯定,你和塔丹会有好结果的,只要你能忠心于塔丹,也能忠心地帮助塔丹的朋友。"

欧拉问:"你见过塔丹吗?你能不能告诉我他如今在哪里?"

泰山说:"是的,我见过他。他现在在狮子峡,和华丹族的酋长欧马特在一起。"

欧拉听了这话,着急起来说:"难道他当了华丹族的俘虏啦?"

泰山说："不，他不是俘虏，他在华丹族那里是一个上宾。"说到这里，他有意地停了下来，变了口气说，"我们等一等再说，现在我父亲来了，一定有什么话要吩咐我。"说着，便抬起头向着天空，两只眼睛作出看到了什么的样子。

两个姑娘连忙都跪在地上，虔诚地低下头去，用双手遮住脸，天威只在咫尺之间，让她们心里充满了恭顺和恐惧。泰山装神弄鬼了一阵，然后恢复了原来的神态，拍着欧拉的肩膀说："站起来吧！真神刚才告诉我，你身边的女奴隶，是你们国的武士从狮子峡把她掳来的。你知道她是谁吗？她就是塔丹的好朋友，华丹族欧马特酋长的未婚妻，她的名字叫潘纳特丽。"

欧拉转过身来，用疑问的眼光看着潘纳特丽，意思是问她这些是不是真的？潘纳特丽知道泰山是有意这样说的，就点点头，低声地说："他说的是真的。"

欧拉赶紧跪下，把前额贴到泰山的脚前说："我非常感激真神给我的恩惠，请转告真神，他可怜的奴才非常感激他，愿意随时听他的吩咐。"

泰山说："很好。我现在给你第一个吩咐。如果你让潘纳特丽平安地回到她自己的部落里，我父亲一定会很高兴。"

欧拉奇怪地问："真神为什么这样垂顾她？她是什么人？她不过是一个女奴罢了。"

泰山说："你要知道，天上的真神只有一个，既是荷丹人的真神，也是华丹人的真神。凡世间有生命的东西，甚至鸟兽花草，真神都要管。真神判断人是否尊贵，不在他的地位尊卑，而看他为善还是为恶。潘纳特丽心地非常善良，所以在真神眼里，她比你尊贵。你虽不作恶,可是你的父亲戈坦作恶。"

这些道理欧拉还是第一次听到,所以觉得非常惊奇,她平日以为真神只管他们荷丹族,现在听了泰山的话,才知道凡是宇宙之间的事,真神都要管。这和她平素所想的完全相反,所以十分惊愕。

欧拉说:"我应该按照真神的吩咐放潘纳特丽走,可是这事不在我的权限之内。有我父亲在,不得到他的允许,我不敢这样做。最好请您去跟我父亲说。"

泰山说:"好吧!既如此,我也不难为你,我会去对戈坦说。我先把她托咐给你,你一定要好好保护她,不许对她有一点伤害。"

欧拉带着悲伤的神情,看着潘纳特丽说:"她是昨天才到我这里来的,但我已经发觉她是我女奴中最好的一个,我实在不愿意让她离开我呢!"

泰山说:"你不是有那么多女奴由你使唤吗?"

欧拉答道:"是的,我这里女奴倒是不少,可是像潘纳特丽这样聪明伶俐的,却只有一个呀!"

泰山又问:"最近,是不是有许多奴隶被掳进城里来?"

欧拉说:"是有不少。"

泰山又问:"有没有华丹族以外的人被掳进来?"

欧拉摇摇头说:"在这里做奴隶的,除了华丹族人以外,也有我们荷丹族自己人,此外再没有其他族的人了。"

泰山问:"那么,在我之前,没有过华丹、荷丹两族以外的人进过阿卢尔城吗?"

欧拉见泰山追问得这样急,又这样紧,不禁奇怪地反问道:

"真神的儿子为什么这样喜欢打听事儿呢？怎么也像没有灵性的欧拉一样？"

泰山说："我刚才不是跟你说过了吗？我不是什么事都知道的,只有真神一个人才知道一切。"

欧拉问："那么,真神不让你知道的事,你就不知道了？"

泰山也觉得刚才自己太心急了,有点失态,不免心里暗暗好笑。但是他心里还是想问个究竟,于是又装出庄重的神情问："那么,最近到底有没有外人进城来？"

欧拉说："我被父亲关在花园里,外面的事我也不知道。父亲的王宫里常有传闻,我也没法辨□它的真假。"

泰山又问："那么,你听到过有关这方面的传言吗？"

欧拉说："是有一个类似的传闻。"

泰山忙问："说的可是一个外族的女人？"他急切地等着欧拉的答复,觉得自己的心都快跳到嗓子眼儿了。

欧拉迟疑了一会儿,说："请宽恕我,关于这件事,我不能够多说,因为据我所知,这件事关系重大,如果随便说出去,父亲一定会重重责罚我的。"

泰山说："这不要紧,你不用害怕,我用真神的名义命令你说。你要知道,塔丹的命运,也在真神的掌握之中呢！"

欧拉的脸色变得惨白了,她声音颤抖地说："真神饶恕我,为了塔丹,我决心把我所知道的事都说出来。"

恰在这时,在他们后面有人说道："说什么呀？"三个人都吃了一惊,一齐回过头来看。只见有一个人从灌木丛中走出来,他正是戈坦。他冷冷地说完了那句话之后,还愤怒地哼了一声。但他一见在这里的是泰山,马上表现出又惊奇又敬畏的样子,急忙说:"真神的儿子,我不知道你在这里。"说完,他像忽然想起了什么,耸了耸肩膀说,"我这王宫里有好几个地方,就是真神的儿子也不能去!这个花园,就是其中的一个禁地。"

戈坦不知泰山都问了欧拉些什么,又不便直接盘问,就拐弯抹角地问道:"来!真神的儿子!我带你游览整个园子吧!我真不知道我这个愚顽鲁钝的丫头跟你说了些什么,如果你想知道什么,由我来告诉你吧!"然后,他又回头对欧拉说,"欧拉!回到你自己该去的地方去!"他边说边指着花园的另一边。于是欧拉走在前面,潘纳特丽跟在身后,朝花园的另一边走去。

戈坦说:"请!我们走这条路回去。"于是戈坦领着泰山向前走去,来到一堵墙前,才发现墙上有一个洞,戈坦就领泰山走了进去。走完一段石阶之后,下边是一条黑暗的走廊,对面有一扇门,是通往王宫里面的。原来这个洞是王宫和花园的必经之路。有两个武士在洞口把守着,可见这里是不容闲杂人进去的。

戈坦领着泰山,谁都不说话,一直走到王宫里。在一间大厅中,有许多武士在那儿等着,见戈坦走进来,马上分两行站好,中间让出一条路来,让国王和泰山走过。他们走到另一道门前时,见那边也有许多武士列着队,奇怪的是总祭司鹿顿也在队列里。泰山没和他打招呼,只看了他一眼。从他脸上看,他似乎不怀好意。泰山跟着戈坦走进另一间相连的房子里。

他们走进去之后,武士就把门帘放下了。有一个小祭司走过来偷偷看了一眼,就立刻回到鹿顿那里去了。之后两个人低声说了些什么。

鹿顿听后吩咐说:"快到公主那儿去,把那个女黑奴押到我庙宇中去!"那小祭司立刻奉命前往,鹿顿也回庙宇中去了。

半个小时之后,忽然有一个武士来到戈坦面前禀告说:"总祭司鹿顿说,有重要事请国王立即到庙宇里去,并请国王不要带随从,只请您一个人去。"

戈坦点点头,转身对泰山说:"请不要介意,现在我有事到庙里去一下,真神的儿子!请您在这里稍候,我的武士和奴隶随时都听从您的吩咐,有事您尽管命令他们就是了。"

十一
死刑宣判

戈坦跟着武士走了大约有一小时。泰山坐在那里没有事可做,就参观室内的布置陈设。墙上雕刻的图案和许多手工制作的器具件件精致美丽,一切用具都可以称得上是艺术品。

泰山正看得出神,戈坦忽然回来了。只见戈坦脸色苍白,两只手瑟瑟地抖着,眼睛瞪得像铜铃大,一脸怒气。泰山看他这副神色觉得很奇怪,便问他:"戈坦!有什么坏消息吗?"

戈坦没有正面回答泰山的问话,只在鼻子里哼了一声。在戈坦身后又来了一大队武士,把守在门口。戈坦向左右张望了一下,又向泰山恶狠狠地看了一眼,昂起头,对泰山大声嚷道:"真神为我作证,我做这件事,可不是我自己的主意。"他说到这儿就停住了,沉默了一阵,又指着泰山对武士说:"把他给我捉起来,总祭司说他是个骗子!"

泰山并不慌张,举起一只手拦住了武士。他方才看到戈坦的神色,已估计到大概出了什么事,所以他很镇定地大声说:"等一等!你这话是什么意思?"

戈坦说:"总祭司鹿顿已得到证据,说你不是真神的儿子,你是冒充的。他要求我把你捉住,押到御室里去,去接受你应得的惩罚。假如你真是真神的儿子,你当然用不着害怕,你父亲自会为你做主,你也不必逃避鹿顿的要求。我之所以要这样做,只不过是遵奉了宗教的规矩罢了。"

泰山听戈坦这样说,而且看他的神色,知道他对自己的敬意并没完全消失,只不过出于宗教的约束不得不这样做罢了。

泰山心里有了底,便对戈坦说:"快命令你的武士不要轻举妄动,如果惹怒了真神,会以死罪处罚他们的。"泰山说完,看了一下屋里的人们,发现自己的话发生了效力。只见每个武士脸上都有了敬畏的神情,那种杀气腾腾的气氛瞬间便消失得一干二净。

泰山对武士们面带笑容地说:"你们不用害怕,这件事本来不是你们的主意,现在我就去御室,去见那个混蛋,看他到底有什么话说。"

谁知泰山到了御室之后,又引起了新的纠纷。戈坦不允许鹿顿坐到金塔的顶上来,而鹿顿又坚持要到塔顶上去,而泰山则维持他原来的意见,任何人都不能占据比他更高的位置。三个人争个不休,谁也说服不了谁。最后还是约东站出来,提了个建议,让他们三个人并排坐在一起。但戈坦不接受这项建议,他说,除了荷丹族的国王之外,谁也不能坐到王位上去,再说王位的面积仅够坐一个人,三个人并排坐是绝对坐不开的。

泰山问:"谁是我的审判官?"

戈坦说:"鹿顿是控诉你的人。"

鹿顿接下来马上高声说:"我是你的审判官。"

泰山说:"鹿顿怎么能身兼二职?他既然是我的控诉人,就不可能是我的审判官,控诉是他,审判又是他,这不是天大的笑话吗?"他又转过头去问鹿顿,"你怎样审判我?又有什么权力判决我?"泰山的语气十分强硬,他的眼光怒视着鹿顿。鹿顿自以为铁证在握,也大怒起来。

戈坦和他的武士们都认为泰山说的话有理。于是约东说:"在王宫的御室里,只有国王戈坦有资格任审判官,别人没有这个权力。我可以提个建议吗?"说完他转头看了看戈坦,戈坦向他点了点头,他又接着说,"我建议先由鹿顿陈述理由和证据,然后再由戈坦作出判决。"

但是戈坦自己觉得对这件事没有把握,所以坚决不愿担任审判官。他怕万一审不好,触怒了真神,会给自己惹祸。他沉思了一会儿说:"这是宗教方面的问题,按照过去的惯例,国王无权过问宗教的问题。"

其中有一个酋长站出来说:"这个案件既然属于宗教问题,我认为就应该移到庙宇中去审判。"原来这个酋长也和戈坦以及武士们的想法一样,移到庙宇中去审判,王室的人就可以脱掉干系了。这个建议正中总祭司的下怀,他兴高采烈地说:"这话不错,这个人的罪名,本来就是违反宗教的,应该接受宗教方面的审判。那么,现在就把他拖到庙宇里去吧!"

泰山高声说:"且慢!真神的儿子是不许人拖着走的,只怕在审判完结之后,鹿顿的尸体要被人拖出去呢!鹿顿,你要认真考虑好,如果触犯了真神,你可就后悔也来不及了。"

泰山的话,原本是恐吓鹿顿的,鹿顿本人倒没有露出害怕的神色,但是国王、酋长们和武士们,心里却越来越倾向于泰山这边了。

泰山心里想："鹿顿这个家伙借着宗教说鬼话，宣扬的许多信念都是他自己编出来的，因此他认为我的话也是编出来的。他自己心里有鬼，自然会心虚。"泰山向周围看了看，觉得总这样相持下去也不是办法，于是他对鹿顿的虚张声势摆出一副毫不在乎的样子，因为他已看出戈坦和他的武士们对自己仍然保持着敬畏，所以他耸了耸肩，从塔上走了下来。他边走边说："真神的儿子真理在握，根本不计较去什么地方。鹿顿今天的行为，已经触犯了真神，真神是决不会放过他的。真神无处不在，无论是在庙里还是在御室，真神都在我头上。"

一群人簇拥着泰山来到庙宇，鹿顿领着他们走进了一间很大的殿堂。他自己坐在西边的祭坛后面，叫戈坦坐在左面的月台上，泰山则站在右面的月台上。泰山很镇静地走到那里，用愤怒的目光望着大家，一点也没有要受审判的样子。他一转眼，看见祭坛的石槽中注满了清水，在水面上浮着一个裸体的男婴尸体！泰山由于昨天已经吩咐过不准再杀人祭神，而今天又在祭坛上看见尸体，不禁勃然大怒地问道："这到底是怎么一回事？"

鹿顿冷笑着说："连这个都不知道吗？说你是个冒牌货，又多了一个证据。你若是真神的儿子，一定明白这是怎么回事。你既然不明白，那就由我来说给你听吧：每当太阳西沉，光线照到殿堂里的东祭坛时，我们就必须用成人的鲜血染红那块白石头，用以祭真神；当太阳东升，照到西祭坛的时候，就应当首先让阳光照到一个婴儿的尸体上面。每天太阳带着婴儿的灵魂走过天空，晚上再带着成人的灵魂回到真神那里。这在荷丹族里连小孩子都知道,而你是真神的儿子却不知道,这还不足以证明你是冒牌货吗?如果你还认为证据不足,这里还有。过来!华丹人!"

那黑奴战战兢兢地走过来,鹿顿指着泰山,对那黑奴说:"有关这个人的事,你把你所知道的都说出来!就像你昨晚对我说的一样。"

那华丹人说:"从前我曾经见过这个人。我是华丹的高卢尔人。有一天,我们很多人在山谷里遇到了狮子谷部落的敌人。他们中间就有站在这里的这个人,他的同伴都叫他'可怕的泰山'。这个人很厉害,一个人足以战胜二十多个人。但看他战斗的方法,却不是什么真神的神力。我们用木棒打在他头上,他跟普通人一样晕过去了。我们见他昏倒了,曾经把他捉住,当作俘虏关了起来。后来,他竟杀死看守他的武士,从山洞里逃走了,还把杀死的武士的头吊在山谷对面的树上。我说的都是实话,在庙宇的神殿里,我不敢撒一句谎。"

约东自始至终听完了他的话,高声说:"天下长得相像的人多得很,这黑奴的话,就能作为攻击真神的证据吗?"

鹿顿说:"这当然要算证据,怎么不能算呢?除这个黑奴之外,还有一个证人,那就是本国的公主,欧拉公主本人。"

戈坦听到这里,问道:"我女儿怎么会和这件事有牵连?她在花园里,她怎么会知道外面的事?你们难道要让她来对质吗?"

鹿顿说:"不必公主本人来,她身边有一个女奴,可以代表她。"说着,就吩咐他手下的一个小祭司,"去叫公主贴身的女奴到这里来!"

这个小祭司听了鹿顿的吩咐,马上走了。不一会儿,潘纳特丽来了。

小祭司对鹿顿说:"公主贴身的女奴只有这一个,现在我把她带来了。刚才我也问过公主,公主说昨天早晨在花园里见过这个人,这女黑奴好像是认识他的,脱口而出叫了他'可怕的泰山',这一点和刚才男黑奴说的相符。而这女黑奴也正好是从狮子谷那边掳来的。方才那男黑奴不也说在狮子谷部落里,遇见过这个人吗?刚才我还问过公主,这女奴的名字叫潘纳特丽。昨天,她脱口叫出'可怕的泰山'的时候,公主问她是不是认识这个人,她说她认错了人,以为是她从前在狮子谷遇见过的一个人。公主要她讲一讲过去遇见过怎样的一个人,潘纳特丽就给公主讲了一个神奇的故事:说她从前在山洞里,曾经遇到过一个图尔欧顿攻击她,幸而有一个白人来救了她,后来那人和潘纳特丽被两头格雷夫追逐,在树上跑来跑去,后来两头格雷夫被那个人诱骗走了,才让她脱离了危险。她说,这个人很像救过她的那个人,所以她一下子认错了。潘纳特丽还说,那个人把格雷夫带走之后,她想回自己的部落去,途中就被我们掳来了。"

鹿顿高声说:"这前前后后的话,大家都听到了,这不是真相大白了吗?难道这还不足以证明面前这个人只是个普普通通的人,而不是神的儿子吗?"他又转身问潘纳特丽:"他当时曾经对你说过,他是神的儿子吗?"

潘纳特丽吓得不敢回答,鹿顿急了,高声喝道:"回答问题!女奴隶!"

潘纳特丽害怕得浑身颤抖地说:"当时那个人没说过他是神的儿子,只是,我觉得他不是个平常的人。"说到这里,她似乎恢复了一点勇气,又记起泰山在花园里曾向她做过的手势,才大起胆子,又接着说:"我对公主说过,这个人和那个人很相像,他不见得就是救过我的那个人。"

鹿顿见她说得越来越离题,大声叫着说:"别说那么多废话!只答复我一个问题:他说没说过他是真神的儿子?"

潘纳特丽低声说:"没有。"她抬眼看了看泰山,泰山对她微笑着,并没有责怪她的意思。

这时约东高声说:"前前后后贯穿起来看,还是不能证明这个人不是真神的儿子。刚才潘纳特丽的话大家都听到了,面前站着的这个人,只是和救她的人相像,还没有证据能证明他就是那个人。另外,我认为,就是真神自己,也不会见人就说'我是真神'。真神的儿子,也同样要到必要的时候、对必要的人才会申明。你苦苦逼问潘纳特丽,那个人说没说过他是真神的儿子,这又能证明什么呢?"

鹿顿嘶哑着嗓子喊起来:"够了!不要说了!他一定是个骗子,来这里冒充真神的儿子!我是阿卢尔城的总祭司,我有权力判他死刑!"说到这里,连他自己都心烦意乱,因为他知道他没能说服大家。静默了一阵,大家都不说话。鹿顿又说:"假如是我错了,我愿意在众人面前,被天打五雷轰!"

这时,殿堂内非常沉寂,连殿外湖水波浪打墙的声音都能听见。鹿顿站起来,庄严地站在那里。

他挺着胸脯,仰面向天,高举起两只手臂,像在等待着老天的判断。那些武士、祭司、奴隶们都静静地等着,看真神是否真会来为他的儿子主持公道,是否真会惩罚总祭司。

这时泰山打破了沉默,泰然自若地说:"看到了吧?真神都不理睬你了,鹿顿!我能在你和你的人民面前,证明真神已经不理睬你了。"

鹿顿又急又气地嚷道:"证明?你能证明什么?你才是侮辱真神的东西!你还配谈什么证明?"

泰山说:"你说我是侮辱真神的'东西',认定我是个骗子,你这些话本身就在侮辱真神!我能要求真神为了保持尊严,用火来惩罚你这个大逆不道的人!"

大家又静寂下来,想看看鹿顿有什么反应,也想等待着看真神到底惩罚谁。

泰山对鹿顿说:"你用不着这样吓唬人,其实你自己也知道,如果你杀死了我,你自己的死期也不会比我晚。"

鹿顿叫道:"一派胡言!如果真神没有明示我,叫我不要惩罚你,我今天是非要惩罚你不可的!"

接着,鹿顿大声地哼起祭歌,戈坦和武士们明白马上就要杀人了,所以非常着急。他们原本就不信鹿顿的话,只因为他是总祭司,不敢站出来公开反对他。这时,毕竟还是有人站出来反对了,那就是约东。约东像一个猎狮老人一样勇猛,高叫道:"鹿顿!你真的不害怕吗?我看,侮辱神灵的是你,而不是他!"

鹿顿怒喝道:"你是什么人?敢点名道姓地喊我鹿顿!还敢反抗总祭司!你们赶快把这冒充真神儿子的罪人拿下,到了明天早晨,就让他接受死刑。依照旧例,让他受用真神喜欢的那种死法!"

这时,没有一个武士动手,大家都不服从鹿顿的命令。只有一群祭司们一哄而上去捉泰山。泰山知道不能再等了,现在不是用辩论能取胜的时候。若动武,他们人多,他向下面扫了一眼,马上想出了一个主意。

这时站在泰山面前的只有鹿顿一个人,在泰山附近却有近两百个武士和祭司。武士们都没有动,最前面的一个祭司却气势汹汹地冲到了泰山面前。在他还没有抓住泰山的时候,泰山伸出像钢铁一样的手臂一把抓住了他,并迅速把他举起来,对准鹿顿的脸扔过去。那时鹿顿已经握着刀,正要向泰山砍来。他的刀还没砍出去,泰山扔过来的祭司已重重地砸在他脸上了。

泰山的动作非常神速,他把祭司抛出之后,马上移动脚步,跳上祭坛,由祭坛又攀上墙头。然后他转过头来,向下望着,高声说:"谁说真神不保佑他的儿子呢?"随后就跳到墙外面去了。

殿堂里,戈坦和他的武士们都松了一口气。最庆幸泰山能够脱险的,一个是潘纳特丽,一个是约东。

那个被泰山抓起来向鹿顿扔过去的祭司,由于颈椎断了,已经死在地上。鹿顿被撞倒,从台上跌了下去,也受了伤,但他仍能马上跳起来,既恼怒又恐惧地向四周张望。他并没有发觉泰山已经不在殿里,还在一连声地大叫着:"快捉住他!快捉住他!"他一边狂喊,一边寻找,还命令武士们堵截捉拿,可那些武士们却一动不动。这一转眼间使泰山消失得无影无踪,而祭司中却是一死一伤,这难道还不能说明真神已经给了明示吗?因此,他们更坚信是祭司受了真神的谴责,越发不动了。只有那些祭司们还晕头转向,东撞西撞地去找泰山。

武士们见戈坦没有下命令,就站在原地不动,等于在看热闹。戈坦见鹿顿已然受了伤、吃了亏,心里十分高兴,但脸上并不显露出来。他低声吩咐一个武士,将泰山已走的事告诉鹿顿,让他不要再当众出洋相了。

接着,戈坦让全体武士和小祭司在宫中四处搜寻泰山。泰山临走时那几句话,还是使武士们相信他是真神的儿子,所以并不认真去找。有的武士心里还暗暗高兴,鹿顿平时作威作福,今天活该让他当众吃了苦头。

大家把四处都找遍了,连泰山的影子也没见,甚至连庙宇中平时不用的秘密通道也都找过了,仍一无所获。这种通道平时只准祭司进出,别人是不准进去的。后来,武士们奉命离开庙宇,都回王宫去了。他们在王宫各处以及街道上都设岗检查,但毫无收获。国王又通知全体人民,让他们留心泰山的踪迹。泰山的事迹立刻在国内广为流传。城中的人们传来传去,加上转述中又添油加醋,越传越神奇,越传越活灵活现。没出一天的工夫,城里的妇女和小孩都吓得不敢出门。但是那些武士们仍旧奉命到处巡逻,他们中有些人不但不怕,心里倒还暗暗祈祷,希望能再看一眼这位赤手空拳降服格雷夫的英雄。

十二
魁梧的外来人

当阿卢尔城里的武士们和祭司们正在庙宇里和王宫里搜查泰山的时候,有一个半裸的外来人背着长枪,正从群山之中走向狮子谷。他来到山谷中,看到一条平坦的道路,比山上崎岖的小径容易走,但他依然谨慎地顺着小道弯弯曲曲地前进。当他正要转弯的时候,对面走来了一个人。

两个人相距大约有一百步的时候,彼此都发现了对方,两人同时站住了。那外来人看对面的人是个高大的白武士,没穿衣服,只在腰际围了一张狮皮,用皮带缚着,还带一把短刀,一把猎刀,右边腰里还带着一个皮袋。这白武士正是塔丹,他独自在他的朋友欧马特所管辖的狮子谷的山里狩猎。

塔丹看着对面来的陌生人,觉得很惊奇,但他不感到慌张,因为他曾经看见过泰山。他断定对方和泰山是同一族的人,而且也看出对方并无恶意。那陌生人也很镇静地看着他,见塔丹没有要动武的迹象,于是向他伸出一只手来,表示友好。两个人又都往前走了一段,又都站住了。塔丹仔细打量对方,认定他的确是属于泰山一族的,便愿意接受他的友好表示,于是向前走了几步,站在陌生人的对面,问道:"你是谁?"但是这位外来人只摇头,原来他听不懂塔丹的话。这和泰山当初一样。

那外来人打着手势,告诉他自己是从那边的群山中来的。塔丹猜想,他可能是来找泰山的,但是却猜不出他要找泰山干什么,所以没敢轻易向他道明。

这个外来人见塔丹的大拇指和脚趾都和自己的不一样,身后还长着一条尾巴,觉得非常奇怪。塔丹这次一个人出来,原想猎取些哺乳动物,因为这是荷丹族最爱吃的肉类。而今在这里意外地遇到了这个陌生人,他不想去打猎了。他现在打算带这陌生人去见欧马特,他想,他俩一定能想出办法问清这个人的来历。于是塔丹也用手势向那人表示,要带他到自己的一个朋友的住处去,而那外来人似乎懂了,真的跟着他走了。

他俩在路上看到许多妇女和小孩,在老少男子的保护之下干着农活儿:有的在采野果,有的在割一种草本植物,似乎这种植物也属于他们的口粮。他们种这种草本植物,也像种植稻谷之类一样,把杂草锄得干干净净。他们的农具很奇特,乍看起来有点像长矛,既能当锄用,也能当铲用,似乎十分方便。

那个外来人看到在田里耕作的人吓了一跳,因为他们跟刚才遇见的人不同——全身都长着黑毛,甚至连皮肤的颜色也是黑的,他疑心这些人不是真正的人类,所以急忙拿下弓来。塔丹看到他这个举动,忍不住笑了,连忙用手势告诉他没有必要动武,他们不会伤害过路人。

在田里耕作的华丹人看到这位陌生人,也同样觉得奇怪,他们放下农活儿,好奇地围过来看他,而且还叽叽喳喳地议论着什么。这外来人虽然听不懂他们的话,但看样子不像有恶意。只有领着他走的这个有尾巴的白人能听懂他们的话，而且能和他们沟通。这个长尾巴的白人大概向他们介绍了些什么，这群人便向外来人表示出友好的动作。外来人这时才确信面前的这些人不是敌人，尽管他们长着黑毛，有点像野兽，却也是通情达理的。

这地方距华丹族居住的山洞不远。塔丹领着陌生人来到悬崖边，指指悬崖上插着的木桩和石桩，教他如何爬上去，谁知这陌生人爬行的本领不在华丹族人之下，他尽管没有尾巴相助，可是也能爬得很快，爬法竟和泰山一样。

他们爬到了欧马特居住的山洞。但这时欧马特却没在家，不知到哪里去了。塔丹问了问华丹族的武士，他们说欧马特可能要到下午才会回来，塔丹就邀请外来的客人进洞里坐下。华丹族的武士们听说有外客来此，不时有人走来探望，每个人的脸上都露出非常友好的神情。因为这里的武士们都传开了，说又来了一个和"可怕的泰山"一样的人，所以大家都很尊重他。那位外来人见大家都对他很友善，也就放下心来。

下午，欧马特回来了。外来人第一眼看见他时，就觉察出他不是酋长就是领袖，因为他的神态和装束同一般武士完全不同。塔丹先把遇到这位外客的经过向欧马特说了一遍，最后他对欧马特说："据我看，他多半是来找泰山的。"

这位外来人虽然听不懂他们在说什么，但却听出了泰山这两个字的字音，于是，他马上叫起来说："是的，泰山！人猿泰山！你们认识他吗？知道他现在在哪里吗？"他一边嚷着，一边向他们打手势，意思是说他之所以到这里来，正是来找泰山的。塔丹和欧马特似乎明白了他的意思。从他那热切的神情看来，他找泰山绝不是为了报仇。欧马特还想知道得更确切一些,于是他想出了一个办法,用手指了指外来人的猎刀,一把将塔丹揪过来,做出一个用刀劈下去的手势,回头用疑问的眼光看着那位外来人,意思是问他,是否要这样对待泰山?

那外来客摇摇头,把一只手放在自己胸口上,另外一只手举起来,塔丹见此,说:"他果然是泰山的朋友。"

欧马特说:"万一他在说谎呢?"

那位外来人几乎用一种近于祈祷的神态说:"泰山!你们知道他吗?他现在在哪里?啊!上帝啊!我要会说你们的话那该多好!"

那外来人一边做出寻找泰山的手势,一边叫着泰山的名字,并用手指指各处山洞和后面的山岗和峡谷。每指一个地方,他都抬头看看欧马特等人,发出疑问的声音:"嗯?"意思是说:"你们懂我的意思了吗?这么多地方,他在哪里?"他们虽都不懂他发的这个音,但从这一连串动作,已经明白了他的意思。欧马特向他摊开双手,摇了摇头,表示他也不知道泰山在哪里。欧马特想了一想,尽量用手势语向这位外来客说明他所知道的泰山的情况和可能的去向。

欧马特替这位外来客取了个名字,叫甲尔顿,意思就是"外来人"。他指着太阳,并扳着手指数着:一、二、三、四、五,嘴里又喊,意思是说已经过了五天。那外来客点点头,表示明白他的意思。欧马特又指指山洞,喊着泰山的名字,又做出走路的动作,表示泰山走出这个山洞,已经五天没有回来了。那外来客点点头,表示自己要沿着泰山走过的路去寻找。

欧马特向周围的武士们说:"既然他要去找泰山,不如我们也跟他一起去。高卢尔人杀了我们不少的伙伴，并掳走了我们一些人，我们还没惩罚他们呢！"

塔丹说："今天已经不早了，我们不如劝他先住一夜，明天早晨再一同走。明天，你可以带大队的武士一同去，捉住俘虏后可不要都杀死，要留几个活口问问泰山的去向。你看如何？"

欧马特说："你说得很有道理，不愧是荷丹族中最聪明的人，我就照你的意见做。最好把那些高卢尔人全都捉来，把咱们想知道的事都盘问出来，然后把他们送到格雷夫山下去。"

塔丹听后，只笑了笑，他知道要把高卢尔武士全部捉来是不可能的。其实，只要捉住一两个就可以问明泰山的下落。那外来客看着他们的手势和表情，也大体明白了他们的意思。

这一夜，他们就睡在欧马特的山洞卧室里。第二天早晨吃过早餐之后，欧马特带上一百名武士一齐爬到悬崖顶上。越过山冈，走下高卢尔峡谷，他们看到一个赤手空拳的其他部落的华丹人正回部落去，就把他捉住了。那个人十分害怕，以为这大队人马一定会杀他。可是欧马特并不打算杀他，而是对武士们说："把他带回去，等我回来再审问他。"

一个武士奉命押解俘虏回去了，其他的人仍向前进。走了一会儿，他们忽然看见前面有一大队高卢尔武士正在巡逻，就隐蔽在树林后面。

那队高卢尔武士不知道前面有人埋伏，仍旧往前走。突然从树丛后面发出一声凶猛的喊叫，接着飞来一棍，一个武士被打倒了。原来叫喊声就是信号，欧马特率领的所有武士们都一下跳了出来。他们有拿短刀的，有拿木棍的，径直向对方扑去，于是，一场肉搏大战开始了。

双方武士都很勇猛,战斗进行得非常激烈。那位外来客也参加了战斗,他那光滑的皮肤和长毛的身体摩擦着,他凭着敏锐的目光和聪慧的头脑,很快就分辨出了高卢尔武士和欧马特部下的不同,虽然他们的体貌是十分相像的。他已经敏锐地注意到,高卢尔武士们围的是狮皮,而狮子峡武士身上所围的则是豹皮。欧马特打倒了他的第一个对手之后,望了望甲尔顿,见他仍在激战,他心里不禁赞美:他的战法真凶狠,几乎和狮子差不多,他一定是属于泰山一族的人。

看了一小会儿,他马上又去对付另外的敌人了。战斗进行得非常激烈,有些武士死了,没死的也都打得筋疲力尽,唯有那位甲尔顿越战越勇,他左冲右突,跳跃奔跑,在不歇气地痛击着敌人。

欧马特始终注意那位外来客背上背的武器,觉得十分新奇,但是却没见他用过。现在看他身体非常灵活地跳跃着,那武器也随着他的跳跃在背上摆动,他才知道这武器并不妨碍战斗,即使碰在身上,也不会伤到他。原来他的弓箭在近战时用不着,带着又不方便,已经取下来放在一旁了,但他背上的那个武器却始终没有摘下来过。其实欧马特不知道那是支长枪,外来客对这个武器十分珍惜,轻易舍不得用呢。欧马特的部下也累了,可是看甲尔顿越打越起劲,于是又鼓足勇气,拼命厮杀。高卢尔武士们对这位有神力的陌生人非常害怕,渐渐向后退却,终于溃不成军了。欧马特命令他的部下不要松劲,紧紧追上去。最后,他们抓住了六个疲于奔命的俘虏。

欧马特率领部下胜利归来,一共捉住二十个高卢尔俘虏,其中有六个伤势太重,在半路上死去了。这是两族战争中空前的大胜利,大家都称颂欧马特是个伟大英勇的酋长,但是有见识的武士知道:这次胜利应该归功于那位英勇善战的外来客。他的战斗方式和战斗精神,大家都看见了,所以都很敬仰这位甲尔顿。他们深信自己的部落有了泰山和甲尔顿这样的两个朋友,一定会兴盛起来。同时,他们的敌手高卢尔人正聚在山顶上,为这次的失败和损失而非常悲伤。

他们在议论着,怎么有一个荷丹族的白武士也加入了世仇的队伍中杀起我们来了呢?大家都看见了,他确实是站在敌人的队伍里的。

欧马特回到山洞,只休息了一会儿,就马上提审那些俘虏,着重询问他们泰山的下落。他们说,在五天之前,泰山曾被他们捉住过,但后来他杀死了看守卫兵逃走了,而且还把看守卫兵的头割下来挂在树上。后来审问到最后一个俘虏,就是在山谷里首先遇到的那个武士,他说:"那个可怕的人的下落,我能告诉你们。我看见过他,也知道他的住处。如果你能答应放我们这批俘虏回去,我就彻底告诉你,决不扯谎,你同不同意这个交换条件?"

欧马特说:"你先说,你必须说得详细而完全,否则我非杀了你不可。"

那个俘虏说:"如果你杀了我,你们要找的那个人的下落就永远没法知道了。"

塔丹坐在一旁,始终在听着欧马特审问俘虏,这时,他插话说:"他的话不无道理,我们不如就照他的话办吧!"

欧马特说:"那好吧!高卢尔人!只要你告诉我真话,我决定放你和你的同伴回部落去。"

那个俘虏说:"谢谢你答应放我们回去,我相信你是言而有信的。那么,我现在就说。三天之前,我们正在高卢尔附近打猎,碰到了一大队荷丹人,他们把我们带进了阿卢尔城。他们从我们当中,选了几个健壮的去当奴隶,其余的都关在庙宇的一间屋子里,准备做祭神用的牺牲品。我就是那些人中的一个。没有别的办法,我只能怪自己的命运不好,当时真羡慕那些做奴隶的同伴啊!他们虽然很累很苦,可生命是安全的,比我们整天等死要好得多。昨天,阿卢尔城里来了一个陌生人,这个人是由庙里的全体祭司、国王戈坦和武士们陪着来庙里参观的。我们见了这个人都很惊奇,他就是曾经被我们捉住,后来逃走的俘虏,也就是你们叫他'可怕的泰山'的那个人。但是,阿卢尔城里的人都管他叫'真神的儿子'。他见了我们,问过祭司囚禁我们的原因,然后就下令把我们放了。荷丹族的祭司们都很听他的话,不但准许我们回高卢尔来,而且还送我们出了阿卢尔城。我们一同走的有三个人,手里没有武器,所以有两个人遇险身亡。我是要回自己的村落去的,在中途又被你们捉了来。我能告诉你们的就只有这些。"

欧马特又问他:"关于泰山的情况,你就知道这么一点吗?"

那俘虏想了想说:"噢!对了,我想起来了,还有一点该告诉你们。那个总祭司的名字叫鹿顿。送我们出城的是两个小祭司,一路上闲聊,说那个真神的儿子是冒充的,又说这事是鹿顿判断出来的。鹿顿还说,要捉住那陌生人杀死祭神。这些是那两个小祭司说的,我只是听来的,现在全部告诉你们了。狮子谷部落的酋长!现在总该放我回去了吧?"

欧马特点点头说:"当然,我们是说话算话的。阿邦!派个武士,送他回高卢尔去吧!"

欧马特又转身对那外来客说:"甲尔顿!你跟我来!"于是他领着外来客爬上悬崖,站在山顶上,指着笼罩在余晖中的白色阿卢尔城说:"你要找的泰山,就在那座城里。"外来客虽然不懂他的话,却从他的动作里领会了他的意思。

十三
伪装者

泰山从庙宇的墙顶跳到地面,估计不会被那些追他的人捉住了,但他仍不打算逃出阿卢尔城,因为他觉得琴恩很可能就囚禁在这座城里。可是目前,他在这座并不熟悉的城里成了被捉的对象,每一个武士都在捉他,他的行动十分不便。至少,他不能再在城里大模大样地走了。他考虑了一下,整个城中只有那座花园还可以藏身,因为那儿有稠密的树丛可以隐蔽,而且园里有水池和果树,饮食也不成问题。

他本来就在丛林中生活惯了,如果能躲在这个园子的树林里,一定可以平安无事。但是庙宇离花园很远,他怎么能走过这么长的一段路而不碰到一个人呢?

他想:"若是在丛林里,我泰山什么事办不到?但在这座到处是人的城里,我想干点什么都碍手碍脚!"

泰山认为溜进王宫去倒是有办法的,因为那是他前一天走过的路,从庙宇的地下走廊穿过去就可以到。在地面上走总不大安全,庙宇里的人是看着他逃跑的,这个时候一定在到处找他呢。他打定主意从地下走,便顺着庙墙找到石阶向下面走去。这条路虽有些曲折,但泰山昨天走过一次,所以行动较快。

突然,在拐角处碰到了一个祭司迎面走来,这倒真让泰山吓了一跳。

泰山估计这个祭司一定知道自己逃走的事,假若他要叫喊起来惊动了大家,自己可就不好办了。于是泰山很快地抽出刀来,趁他不备,一刀刺去,那祭司一声都没吭就倒下死了。泰山见他的面具一点也没摔坏,便把那面具套上,又割下他的尾巴,在这小房里化起装来。

他把那条尾巴裹在狮皮里面,再用腰带绑好,这样一来,就完全像一个庙宇里的祭司了。假如不注意他的手指和脚趾,谁也不会发现他不是这个城里的人。他曾注意到荷丹人和华丹人总是用一只手握着尾巴走路,于是泰山也模仿着他们的样子,握着那条假尾巴,不让它疲软地拖在后面。

泰山就这样在地下走廊里大模大样地走到王宫,发现这里还没有什么动静。泰山想,大概庙宇里的人还没追到这里。

他在宫门前虽然碰见了几个武士和奴隶,但没有一个人注意他或盘问他。因为祭司在王宫内走动是常有的事。于是,泰山在毫无阻拦的情况下到达了花园。这里他是来过的,当然熟悉,他就轻松自如地走进花园里。他顺着一条花径没走多远就发现有一大片花丛,别说是藏一个人,就是有十个八个人躲进去也不容易被人发现。泰山挤进花丛席地而坐,把面具取下来。他一面休息,一面考虑自己下一步该怎么办。泰山在前一天夜里看见庙宇中有许多人来往进出,他现在既然已是祭司的打扮,所以即使夜里有人看见他也不会生疑,更何况在庙宇和王宫之间祭司是可以随便往来的。因此,他打算白天就躲在花园里,晚上再出去探查。

泰山躲在花丛里,听到了追捕他的喊叫声,但他躲在里面非常放心,静心盘算着未来的计划。

他把面具拿起来看了看,原来这面具是用一整块硬木雕刻而成的。面具下端的左右两边都是凹形,卡放在肩膀上正合适;前后两面都是凸形的,后面贴着背,前面护到胸口。面具的下巴上还粘着长须,泰山知道这是用头发做成的。面具构图非常狰狞,一点也不像人,倒有点像三角恐龙:上面有三只白色的角,脸是黄色的,眼眶是蓝的,头顶则是血红色的。

泰山正在看面具,忽然听见有赤脚走路的声音,他想,这个花园里一定不会只有他一个人。那脚步声渐渐由远而近了。

他起初猜想,恐怕是来捉拿他的祭司或是武士。他偷偷从花丛的枝叶缝隙中望出去,却大出他的意料,来的竟是戈坦的女儿欧拉公主。只见她带着悲戚的神情独自走过来,脸上还挂着泪珠。泰山听见在欧拉的身后还有另外的脚步声,好像有很多男人匆忙地向这里走来。等他们走到公主跟前时,泰山才看清楚打头的是两个祭司。其中的一个对欧拉说:"欧拉!我们帕鹿顿的公主!那个陌生人曾告诉我们,说他是真神的儿子,但他的假冒被总祭司识破了,他现在已经逃走,我们在庙宇里、王宫里甚至全城里都在搜捕他。我们两个是奉命带人来花园搜寻的,因为据国王戈坦说,今天早晨曾看见他到过这里。我们不明白,这个人是怎么从守门卫兵那儿混进来的,他怎么会溜进花园呢?"

欧拉说:"我肯定他现在不会在这里,因为我已经在花园里很久了,没有听到什么异常的声音,更没有看见什么人,这里除了我,什么人也没有。假如你们不相信我的话,还一定要搜查,那就请便吧!"

先前说话的那个祭司对欧拉说:"既然公主这样说,我们就不必搜了。他即使能逃过你的眼睛,也一定逃不过门口卫兵的眼睛。他若是真的逃到这里来,不用说,在我们前边来的那个祭司一定会看见他的。"

欧拉问:"你们前面的祭司?"

那个祭司说:"在我们前边还有一个祭司,也许他没查到什么,已经从另外一道门出去了。"

欧拉说:"也许是这样,但是有点奇怪,我始终没有看到什么祭司啊!"这两个祭司听了,也没有在意就回去了。

泰山躲在花丛里听到了他们的谈话,心里暗想:要瞒骗这些笨东西,实在是太容易了。

祭司走后,花园那边又响起了脚步声。等那人走近了,只听欧拉用吃惊的声音说:"潘纳特丽!出了什么事?你为什么这样惊慌?"

潘纳特丽说:"啊!帕鹿顿的公主!你知道吗?他们要把他杀死在庙宇里呢,就是那个自称是真神的儿子的陌生人!"

欧拉说:"我刚才听两个祭司说他已经逃走了,你这消息是从哪里听来的?快把你知道的情况告诉我。"

潘纳特丽说:"总祭司鹿顿一定要把他抓住杀死来祭神。但祭司们向他冲过去时,他抓起一个祭司,把鹿顿撞倒在地上。他扔那祭司一点也不费力,就好像每次你拿镜子向我摔来一样。然后他就跳上墙顶,不知去向了。他们正在到处找他,我想,城里只有这么大个地方,他怕是躲不过去的。他们只要找到他,明早就要拿他来祭神。啊!公主!我真希望真神保佑他,不要被那群人找到。"

欧拉说:"为什么要真神保佑他?他侮辱了真神,不是应该受死刑吗?"

潘纳特丽说:"公主!你还不知道他的为人呢,他可真是个好人啊!"

欧拉很奇怪地追问道:"你是怎么知道他的为人的呢?你早晨脱口而出叫他'可怕的泰山',难道你真认识他?后来你又说你认错了人,究竟是你早晨的话骗了我,还是现在又想来骗我了?他是不是你告诉我的那个泰山?咱们女人家,可一定要讲老实话呀!"

潘纳特丽挺了挺身子,微昂起头,显出很庄重的神情说:"潘纳特丽是狮子谷的人,我们狮子谷的人决不为保全自身而说谎。"

欧拉说:"既然这样,那就把你所知道的有关泰山的事全都告诉我吧!"

潘纳特丽说:"我们的老酋长要欺侮我,我逃了出来,后来在半夜里又遇到了一个图尔欧顿,是泰山杀死了图尔欧顿救了我。再后来他要送我回部落,在路上又遇到了格雷夫,我们无论如何也摆脱不掉格雷夫的追逐,又是泰山把格雷夫引开,我才得以逃走。其实早晨到花园里来的那个人就是泰山。我因为见他勇敢,又有侠义心肠,肯舍己救人,我真的有点相信他就是真神的儿子。他对人非常和善,总是把方便和安全留给别人。他说,他之所以照顾我,是因为他是欧马特的朋友。公主!我是跟你说过的,欧马特是我的恋人,我爱欧马特,就像你爱塔丹一样。假如我不是在半路上被你们的人抓来,恐怕我已经和新酋长欧马特结婚了。"

欧拉听了潘纳特丽的叙述之后,不禁有点敬仰地说:"这样说来,他真是个很奇特的人物,他确实和寻常人不一样,不但没有尾巴,手指和脚趾也和我们的不一样。最重要的是他的言行让人肃然起敬。"

潘纳特丽对泰山充满了感激,她是希望有机会报答他的。她想趁这机会说服欧拉,对泰山给予信任。现在她已经不顾虑什么利害关系了,马上接着对公主说:"泰山说过,他还知道塔丹的下落,公主!你想想看,他若是个平常人,怎么会知道这么多事呢!"

欧拉听了,思索着说:"莫不是他在哪里见过塔丹?塔丹是从国里逃出去的呀!这么说,塔丹还平安地活着?"

潘纳特丽说:"假如他不是真神的儿子,他怎么会知道公主是爱塔丹的呢?公主,我总觉得他比普通的荷丹人或华丹人要高明得多。你想,他能从埃萨特的山洞越过两座大山到格雷夫地带来救我,我走后已经很久了,他还能从地上看出我留下的脚印,若换普通人,会有这样的本事吗?"

欧拉说:"听你这样说,恐怕是鹿顿错了,也许他真是个好人。"这时欧拉已经完全被感动了。她对这个陌生人有了敬仰之意。

潘纳特丽说:"先不管他是人是神,凭他的心地和言行,总不该受杀戮之刑呀。公主!我一定要救他。假如他活在世间,他一定会帮你找回你的塔丹。"

欧拉深深地叹了口气说:"他也许有这样的能力,可是什么都来不及了,国王命令我,明天早晨就得和布洛特结婚。"

潘纳特丽说:"昨天你父亲不是带着布洛特来过吗?我看那个人要比你大得多呢!"

欧拉说:"你说得对,就是那个圆脸、大肚子的赳赳武夫,他就是布洛特。听说他很懒惰,不肯出去打猎。他只知道吃吃喝喝,经常和女奴隶调情。可就是这么个人,很会讨好我父亲,父亲就看中了他,非逼我嫁给他,这也是我的命不好。塔丹可以逃出去,我可往哪儿逃呢?唉!算了,不说这些了。来!潘纳特丽!帮我摘几朵美丽的花,我很爱这些鲜花,我准备把它们放在枕边,明天早晨把花也带去,因为我知道,莫撒的部落是没有这种花的。来!咱俩一起来,多摘一些。我很爱这种花,我知道塔丹也喜欢这种花。"

两个人边说边向花丛走来,这个花丛正好是泰山藏身的地方。这一丛花开得比其他地方的茂盛,泰山原以为她俩在花丛边上采几朵就会走开的,所以藏在里面没有动。谁知事情的发展不像泰山想象的那样,欧拉忽然叫道:"潘纳特丽!你看!这里头的花真大,我还从来没看见过这么大的,我一定要亲手去摘,你看它多美啊!"她说着,就用手拨开花丛走了进来。她要摘的那朵花正好在泰山头上。欧拉走进来,使泰山再无法躲避了,只好静静地坐在下面一动也不动。欧拉过来,用力地摘下那朵花。她向下一看,正好看见泰山的脸,他脸上还挂着微笑。

泰山知道对方已经发现了自己,就索性站起来,对公主说:"欧拉公主!你不用害怕,我是塔丹的朋友。"

潘纳特丽奔过来,一见是泰山,很兴奋地喊道:"啊!原来是你啊!真神的儿子!"

泰山问:"现在你俩既然已经发现了我,会不会把我送到鹿顿那儿去?"

潘纳特丽马上跪倒在公主面前,央求着说:"公主!公主!千万别送他到总祭司那里去,那样他就没命了!"

欧拉很犹豫,但又有点畏怯地说:"若不把他交出去,我父亲戈坦那里怎么交代呢?他若知道我有事欺瞒了他,那可就惹了大祸啦!我虽然是公主,但鹿顿也同样会惩罚我的,他会把我杀死,献给真神。"

潘纳特丽很快地对公主说:"现在没有别的人知道,只有咱俩看见了他,只要公主不告诉别人,我是决不会出卖他的。"

欧拉转头问泰山:"请你老实告诉我,你真的是真神的儿子吗?"

泰山毫不犹豫,很肯定地说:"是的。"

欧拉问:"那你何必要逃走呢?难道真神的儿子还怕那些普通人不成?"

泰山说:"你不明白,事情不像你想的那么简单。就是真神自己,如果和凡人在一起,也会失却威仪,和凡人没什么两样。所以我必须先行逃走,然后再以神力惩治他们。"

欧拉向泰山问了她最关心的事:"你真的见到过塔丹吗?"

泰山说:"我不但见过他,还和他相处过一段呢!整整有一个月的光景,我们都在一起。"

欧拉低下头,羞涩地说:"那么……他……他还爱我吗?"说这话时,她眼睛看着地上,脸颊上升起了两朵红云。泰山见此,知道自己的话已经打动了她的心。

泰山忙说:"当然,他爱你。他亲口对我说过,他心里只爱欧拉一个人,今生今世他的心是不会变的。他还说过,他希望和你早一天结成眷属,希望你和他白头偕老!"

欧拉凄然地说:"但是,明天,他们就要逼我和布洛特结婚了。"

泰山说:"每天都有一个明天,你何必这样担心,现在还没到明天,事情就不算定局。情况时时都会有变化,我们会有无穷个明天的。"

欧拉说:"看来我是躲不过这个灾难的明天了。过了明天,以后不论再有多少个明天,我一生的幸福都算完了,塔丹永远不会是我的丈夫了!"

泰山说:"你先不要这样灰心丧气,说不定我可以帮你。"

欧拉忽然高声说:"啊!恐怕也只有你能帮我了,真神的儿子!潘纳特丽早就告诉过我,你有一颗博爱的心,而且无所不能。"

泰山说:"只有真神才能完全知道未来的事。你俩尽管先回去,若被别人看见你俩一直站在这里会起疑心的。"

欧拉说:"那,我们就走了。等一会儿,我派潘纳特丽送吃的给你。我希望你能脱离危险,那样真神是会褒奖我的。"说完,她转身走了。潘纳特丽跟随在她身后,泰山仍旧躲在花丛里。

等到天黑,当潘纳特丽来送食物的时候,泰山见左右没有别人,就把那天早晨问了欧拉而没有得到答案的问题又向潘纳特丽询问:"外面有个传闻,说有一个外族人被藏在阿卢尔城里,究竟是怎么一回事?你听人说起过这件事吗?"

潘纳特丽说:"我听别的奴隶说过,但他们说的时候总是鬼鬼祟祟,我只断断续续听到一点儿,好像是有一个和我们不同族的女子被关在庙宇里。鹿顿想让她做女祭司,戈坦却要她做王后,两个人争夺着,相持不下,两个人都想把她据为己有。"

泰山问:"你可知道她在庙里什么地方?"

潘纳特丽说:"那我可就不知道了,他们不会当着我说清楚的。我跟你说的这些,都是道听途说的。"

泰山又问:"他们说的那个女人,就只她一个人吗?"

潘纳特丽说:"似乎不是。据他们说,还有一个人,是跟她一起来的,但那个人后来怎么样,谁也不知道。"

泰山点点头说:"谢谢你,潘纳特丽!你已经给我很大的帮助了,这些话对我很有用。"

潘纳特丽说:"我希望能尽最大的力量帮助你!"说完,她就转身走了。

泰山也低声说:"我也希望你能帮助我,使一切顺利!"

十四
格雷夫的神殿

天色渐渐黑了,泰山整理好假尾巴,戴上祭司的面具,准备到庙宇里去寻找琴恩。为了避免路上遇到卫兵盘问,泰山爬上一棵树,跳到花园外面去了。他为了躲开不必要的危险,故意挑小路走。他顺着王宫厅堂的旁边,小心谨慎地向庙宇走去。他想去的地方,就是那座独立的房子。昨天泰山参观完庙宇回来的时候曾经看见过它,当时向鹿顿询问被他搪塞过去了。泰山一直觉得这里可疑,所以今晚一定要去看个究竟。

泰山顺着昨天走过的路,很快便找到了这座房子。他走到门前仔细看了看,发现这座房子大约有三层楼高,和庙宇中所有的房子都没有相联之处。它只有一道门,还用木栅栏挡着,并用一块大山石放在那里。那大山石雕的格雷夫头像张着血盆大口,煞是吓人。再往旁边看,那里竟有几扇窗子,都被窗帘严密地遮住。

泰山靠近去细看,里面漆黑一片。木栅栏上有一把非常牢固的锁,泰山试了试,要扭断锁还很不容易。泰山越看越觉得可疑。

泰山暗想,凭自己的力气要打碎这些窗子是不成问题的,可那会发出很大的声音。他怕惊动了别人,所以在动手之前要看一看四周的情况。

他围着屋子仔细地查看了一下，发现墙上还有另外几扇窗子，但也都紧紧地关闭着。他站在那里窥探，四周一个人也没有，有时他听到了一些声音，但是仔细倾听，又觉得那声音离这房子很远。他抬头看这屋子的墙壁，发现也像城里王宫和庙宇里的墙壁一样雕刻着各种花纹。有几处石头突出在外，泰山觉得这些地方正好踏脚。假如蹬着这些突出的地方从墙壁上爬到屋顶上去，倒是不费劲的事，尤其对于一个像泰山这样身体灵活的人来说。

泰山想了想，要爬上去就必须看准每一个踏脚的地方，这样一来，还是摘下面具方便些于是把面具摘下来放在墙脚，敏捷地攀爬上去，爬到第二层楼的窗口，看到里面还有窗帘遮着。

泰山观察一下，又改变了主意，与其砸破窗子进去，还不如爬到上面，从屋顶跳进去方便。因为泰山注意到这个房子的样式跟戈坦的御室差不多，所以估计多半也有天窗。这座屋子的建筑构造和戈坦的御室像出自一人之手。现在还有一个问题，那就是不知道窗口的大小，泰山的宽肩膀能否通过。

泰山一边想着，一边爬上了第三层。

那里的窗帘也是垂着的，但是，窗帘后面却微微露出灯光来。同时，泰山还闻到了一股非常熟悉的气味，泰山差一点高声喊起来，就像当年他在喀却克族中遇到意外高兴的事会大声狂叫一样。但他马上冷静下来克制住了，因为在这里必须小心谨慎，否则会给自己惹麻烦的。他侧耳听了听，里面似乎有讲话的声音，他能听出来，其中一个是鹿顿的声音。这总祭司好像在向别人发问，但是另外一个答话的声音却模模糊糊听不清楚，只能从语调里听出说话人的失望和痛苦。泰山这时已顾不得一切，照窗上就是一拳,然后一下子飞进了屋子。哪知当他跳进去之后,屋子里竟顿时乌黑无光了,同时,讲话的声音也没有了。他高声喊着已有几个月没喊过的名字:"琴恩!琴恩!你在哪里?赶快回答我!"但是四下里很静,好像没有人一样,泰山也没有听到任何回答。

泰山在黑暗中一边喊一边摸索,他心里觉得非常奇怪,刚才闻见的、听见的明明是琴恩的气味和声音,而且还能听出她在和鹿顿辩论着什么,现在怎么会一下子什么都没了呢?难道鹿顿在施什么魔法?这不可能,琴恩的气味仍留在这里。泰山现在有点后悔,如果自己攀登到屋顶后再跳下去,结果也许不会是这样。若那样做,说不定现在已经抱住琴恩,把鹿顿踏到自己脚下了。那该多出气!多解恨!多高兴!可是现在,都怪自己太莽撞,错过了机会。

泰山在屋子里刚往前走了几步,忽然觉得脚下的地板活动起来,给他来了个措手不及。他的身子不由自主地就向下跌去,他觉得好像跌进了一个大洞里。他只听到上面有一个声音说:"回到你父亲那里去吧!真神的儿子!"泰山听出来了,这正是鹿顿的声音。

泰山站起来,觉得跌得很痛,但摸摸全身,哪里也没有受伤。定了定神之后,他见前面有个钉着木栅栏的窗子,从窗子里望出去,外面是明月照着的蓝色大湖。他所在的这个洞很大,这时,他又从空气中嗅到了一种淡淡的气味,这气味竟也是熟悉的,他仔细辨别了一下,噢!这正是格雷夫的气味啊!

泰山静静地听着,渐渐听到有野兽的脚步声由远而近,接着便是一声震动山谷的狂吼。泰山知道格雷夫的视觉是迟钝的,但是它在黑暗中待的时间长了,也许能看见泰山的轮廓。如果它扑过来,这里可没有多大的回旋余地。格雷夫是个庞大的家伙,泰山估计自己一定抵挡不住。他不知道这头格雷夫能不能用外面用过的方法来制服,因为这头格雷夫是鹿顿他们豢养的,也许受过什么特殊训练。可是在这个地方跟它决斗,泰山没有稳操胜券的把握。

泰山左思右想,一时决断不下。虽然他不怕死,可是现在他不能死。经过多少艰难险阻,好不容易找到了琴恩的下落,他当然要尽一切努力,争取两个人都平安地脱离危险。

格雷夫从洞的对面急急忙忙跑过来,它虽然没看见泰山,可是听到了刚才泰山跌下来的声音,所以它就朝发出声音的地方奔来。

泰山沿着墙壁后退。走了几步,他忽然发现前边是走廊的进口,里面也是黑洞洞的。泰山现在已经顾不上什么了,只要有退路,就毫不犹豫地进去。他的眼睛这时在黑暗中已能看清东西了,他看出走廊又宽又高,也许这个走廊是特意为格雷夫建造的。泰山急急忙忙朝走廊深处走去,走廊的地势是向下倾斜的,越走越低。泰山觉得这里的宽度还不如刚才掉下来的地方,格雷夫如果追上自己,就更没有回旋的余地。他往后看了一眼,见格雷夫已经紧紧追来。泰山没有别的办法,只有加快速度逃跑。

泰山顺着走廊转一个弯,忽然看见了外面的月光,这一下他可喜出望外,原来到了走廊的尽头。他加快脚步向外奔去。出了走廊之后,来到了一个圆形的地方,那里四围有高墙,墙上十分光滑，没有可供手攀脚蹬的地方。这圆形地方的左边有个水池，池边紧靠着墙根，这水池好像是给格雷夫饮水或洗澡用的。

泰山逃到水池边，已经再没有退路了。虽然手里什么武器都没有，但泰山心里仍然镇定自若。他见格雷夫已经站住，用迟钝的目光在向四围扫射，仿佛在寻找攻击的目标，同时还在一声声高吼。

泰山没有别的办法，只好学着图尔欧顿那样叫了一声："咵啊！咵啊！"想看看这只格雷夫有什么反应。谁知那格雷夫听到声音后，竟朝发声的方向疯狂地扑了过来。泰山见它来势凶猛，自己左右和后面又无路可退，当格雷夫快要扑着他的时候，便一下子跳到了水里。

让我们再来说说琴恩。她被囚禁在格雷夫神殿中，逃走是不可能的，因此她心里产生了一死了之的念头。她被捕已经有好几个月，受尽各种各样的牢狱之苦，早已不抱任何希望了。但她宁可死，也决不丧失自己的节操。她自己也明白，他们之所以不杀她，完全是由于她的美丽。这一天夜晚，鹿顿又来到她的囚禁室里，向她提出要求，逼她就范。

鹿顿的目光十分凶恶残暴，竟妄图扑上来搂抱她。琴恩已经领教过几次他这种野蛮无礼的动作了，所以她并不害怕，只是把身子站得笔直，微昂着头，用冷冷的眼光看着他。琴恩反正早把生死置之度外了。鹿顿看琴恩的神态，既像个王后，又像个女神，他认为她或嫁给戈坦，或嫁给自己都是相称的。见她的态度总是这样又冷又硬，鹿顿心里又怒又爱，拿她没有任何办法。

琴恩见鹿顿要来搂她，便冷冷地一字一句地说："你休想！在你达到目的之前,不是你死,就是我死。"

他挨到她身边来,说:"我爱你!你怎么说起死来了呢?"说着,他又要去搂她,正在这时,突然砰的一声,窗子上的木栅栏掉落在地上,接着,从窗外跳进来一个人。

琴恩倒着实吓了一跳,她看鹿顿的反应极快,只见他向前猛跳一步,把从天花板上垂下来的一条皮带用力一拉,一堵木墙就马上掉了下来,正好把鹿顿、琴恩和跳窗人隔开。木墙掉下来之后,墙的另一边就完全黑暗了,因为屋子里的灯光都在鹿顿和琴恩这边。

琴恩听见木墙另一边有叫喊的声音,但是隔着厚墙听不清楚。她看着鹿顿拉了另一条皮带,又一堵厚厚的木墙落了下来。鹿顿脸上露出狰狞的笑容。接着,琴恩没看清鹿顿又做了什么,那木墙又升上去回了原位。鹿顿蹲在地板上向下面一个黑暗的洞口张望,狂笑着说:"回到你父亲那里去吧!真神的儿子!"琴恩完全不明白是怎么一回事。

鹿顿又拉动了一下机关,把洞口盖平,看起来这里又是一块完整的地板了。鹿顿又嬉皮笑脸起来,说:"嗨!美人儿!现在没事了,过来吧!"他忽然仰起头对琴恩的身后说:"约东!你到这里来做什么?"

琴恩顺着鹿顿的目光转头看去,只见一个身材高大,十分威武的武士站在门口。

约东回答说:"我是奉了戈坦之命,带这个美丽的异族女子到王宫的花园里去。"

鹿顿怒喝道:"戈坦凭什么反抗我?我是真神的总祭司!"

约东说:"我刚才说的话就是戈坦的命令!"听他的语气,既不害怕,也没有尊重总祭司的意思。

鹿顿知道戈坦派约东来的用意是怕自己先得手,而约东平时对总祭司毫不畏惧。鹿顿这次想要收拾他一下,像刚才对付泰山一样。这样,戈坦身边也就少了一位忠实的武士了。想到这里,鹿顿不由得瞟了一眼天花板。

鹿顿冷冷地对约东说:"让我们来商量商量这件事。"说着,他走向窗前。

约东回答说:"这事没有什么可商量的!"便也跟着向窗前走去。他似乎也在防着鹿顿会做什么手脚。

琴恩十分镇静地看着他们,她发觉那武士的脸上有一种忠诚和坦率的表情,而鹿顿的神色恰恰相反,她心里已暗暗地站在武士的一边了。她觉得倾向于武士,自己或许可以得救;而站在鹿顿一边,自己是一点希望也没有的。就在鹿顿动手之前,她抢先对约东说:"武士!假如你想保住生命,就千万不要走到那边去!"

鹿顿见琴恩多口,恶狠狠地喝斥道:"住嘴!奴隶!"

约东不理会鹿顿,向琴恩问道:"怎么?那边有危险吗?"

琴恩指了指屋顶上垂下来的皮带说:"你看!"她说着,出其不意地去拉了一下皮带,等鹿顿要去阻止她时,已经来不及了。木墙掉落下来,碰到了地板,正好把鹿顿一个人隔到另一边去了。

约东见此,忙说道:"谢谢你救了我,不然,我落到陷阱里,就要被关到庙宇的另一个地方去了。"

琴恩回答说:"鹿顿惯于用这个东西害人!他一拉这根皮带,

就会出现一个大洞,假如人落下去,恐怕只有死掉。鹿顿常常用这个吓唬我,如果我不答应他的要求,他就要我跌下陷阱去,喂那里养着的一头大格雷夫。"

约东说:"庙里真的养着一头格雷夫吗?怪不得祭司们常常问我要俘虏,说给什么野兽吃。这凶狠的鹿顿,今天竟要害到我的头上了!其实我见他眼睛老盯着我,便猜想他在打鬼主意,只是不知道他究竟要干什么。这位女士,我和你素不相识,你为什么要搭救我呢?请你告诉我,我和鹿顿都是荷丹人,不都是你的仇人吗?"

琴恩说:"不!我对这个城里的人并不同样看待,我相信到处都有好人。在这里再没有比鹿顿更凶狠的了。而你不同,我看你有一种坦诚勇敢之气。我在你们的掌握之中,本来只求一死,是不抱什么希望的。我刚才说过,我认为任何地方都会有好人。虽然我是一个外来女人,然而,假如你肯照应我,我也许还有活命的希望。"

约东把琴恩端详了许久,说:"国王戈坦曾经对我说过,他打算娶你做王后,我一定会好好对待你的。"

约东走近琴恩,低声对她说:"戈坦虽然没有明白告诉过我,可是我从他的语气中听出来,他相信你一定和真神是同一族的。因为真神是没有尾巴的,所以戈坦认为,凡是没有尾巴的人,必然和真神同族。恰巧他的王后死了,只留下一个女儿,他还没有王子。假如他和你结婚,将来万一生一个王子,也必然是和真神同族的,这对荷丹族来说,不是大好事吗?"他说这些话时,极力压低了声音,好像怕有人听见一样。

琴恩说:"但我已经是结过婚的,我有丈夫,不能再嫁给别人。我决不会嫁给戈坦,也不羡慕王后的地位。"

约东说:"戈坦是国王呀!你不知道王命难违吗?"

琴恩说:"难道你不能搭救我吗?"

约东说:"假如你现在在猹鹿(即狮城),我就可以有办法救你了,在那里,即使反抗王命也无所谓。"

琴恩问:"你说的猹鹿是什么意思?"

约东说:"猹鹿是由我统治的城,我是那个地方的酋长,猹鹿四周的山谷也属我管辖。"

琴恩问:"那座城在哪里?离这里远吗?"

约东笑着说:"虽然离这里不远,但是你不要打这个主意,因为你是没办法从这里逃出去的。如果你逃跑了,国王会派很多人追捕你,你怎么也逃不脱他们的追捕。我不妨告诉你,我说的那座城,就在这条河的上游,河水流入阿卢尔城的大湖,猹鹿是一座独立的城,已经好多年代了。据说,大概当真神还是个儿童的时候,就有了这座城。它的防卫非常坚固,从来没被敌人攻破过。"

琴恩问:"假如我到了那里,就可以平安吗?"

约东说:"我想是这样。"

琴恩想,猹鹿虽说是个好地方,但是自己无法从这里逃出去,想也是白想,不觉深深地叹了一口气。

约东见琴恩叹气,已经明白了她的心思,所以说:"你也不必灰心,你先跟我来,我领你到公主住的花园里去,和戈坦的女儿欧拉住在一起,至少比住在这里强得多。"

琴恩说:"那么,戈坦那里我怎么应付呢?"

约东笑着说:"他要和你结婚,总要做个礼仪上的准备,这样一来,至少得拖几天。更何况,在礼仪方面他也有不小的困难啊!"

琴恩忙问:"什么困难?"

约东说:"按我国的惯例,国王要结婚,必须由总祭司主持婚礼才行。"

琴恩听了,只是喃喃地说:"就算这样,也仅仅能拖几天罢了。愿上帝保佑,能多拖一天就多拖一天。"

琴恩心里在转着这样的念头:被逼到走投无路的时候,宁为玉碎,不为瓦全!坚持下去,也许会有希望的。即使变成冰冷的、没有生命的尸体,也不屈服!

十五
国王晏驾

约东同琴恩商量后,就领着琴恩走下石阶。琴恩所在的地方是庙宇里的最高层。他们走到一道门前,这里正好是王宫和庙宇分界的地方。门的左边站着两个祭司,右边站着两个武士,都是守卫这道门户的。祭司看见约东带领这女子出来,便上前拦住了他们。

其中一个祭司说:"没有鹿顿的命令,是不能放她出去的。"这个祭司一边说着,一边走到琴恩跟前拦住她。琴恩透过他的假面具望进去,只见他的两道目光非常凶恶。约东却是非常镇定,一只手按在琴恩的肩上,另一只手握住佩刀。

约东说:"让她从这里走过去,是有国王戈坦的命令的,同时,还有酋长约东带领她,你凭什么阻拦?闪开!"

站在另一边的两个武士和祭司的态度完全不同,他们也走上前来,其中的一个说:"有我们在这里,猺鹿的酋长!让我们来迎接您,我们绝对服从您的命令!"

另一个祭司对他的同伴说:"让他们过去吧!鹿顿又没有命令不准他们通过,而且王宫和庙宇之间有一个规矩:酋长和祭司都可以自由进出,是不受任何限制的。"

第一个祭司说:"这里的规矩确实一向如此,可是我明白鹿顿的心思啊!"

第二个祭司说:"难道鹿顿命令过不许约东带这外族女人走吗?"

第一个祭司有点语塞:"不……但是……"

第二个祭司说:"既然如此,就放他们过去吧!反正王宫和庙宇之间有这个规矩,以后谁问起来,也怪不到咱们头上。"说着,他就把第一个祭司拉到身边来。那个祭司一边挣脱他的手,一边没好气地说:"这可是你的主意,鹿顿要怪罪下来,你一个人去承担,我可没同意他们过去!"

约东也怒视着他说:"我倒要看看鹿顿有什么办法。"说着,他领着琴恩走出了门。

他们走进了花园,也就是欧拉公主住的地方。花园门口也站着守卫的武士,还有些服侍公主的男女奴隶。约东吩咐一个男奴隶说:"你把这女子带到公主那儿去,把她看管好,不要让她逃走了。"

那男黑奴就领着琴恩进去,东拐西拐,来到一间用猹托(即混血狮子之意)皮做门幔的门口,那男黑奴便用手里的木棍敲击门旁的墙壁,叫道:"欧拉!帕鹿顿的公主!这里有一个外族女人,是从庙宇里过来的俘虏,约东酋长让我把她带到这里来。"

琴恩听见里面一个很柔婉的声音吩咐说:"领她进来吧!"

那男黑奴撩起幔帐,让琴恩进去。琴恩进去一看,公主的住房并不怎么高,面积却很大,屋子的四个角上,雕刻着四个跪着的石人,好像他们在合力捧着这间屋子。她细看四个石人,都是华丹人的样子,雕刻得非常精细。屋顶是圆形的,上面有天窗,因而室内的光线和空气都很好。在一面墙上,有许多扇窗子,另外的三面墙上各有一道门。这时,欧拉公主正躺在一块用兽皮铺着的石台上,旁边还有一个华丹族女奴隶,此外再没有别人。

琴恩进屋之后就站住了。欧拉公主抬头看了看她,招呼她走过来。公主坐起来,把她好好打量了一番,不禁惊叹道:"你真美啊!"

琴恩忧伤地笑了笑,因为她心里明白,有时美丽也可能成为一种灾难。她轻声对公主说:"这真是过奖了,还能有谁比得上公主美呢?"

公主很高兴地说:"我没想到你会说我们的话,这真是太好了!我听说你是另外一个民族的人,是从很远的地方来的,是吗?你们那个地方,我们帕鹿顿人从来没有听说过。你怎么会说我们的话呢?"

琴恩说:"鹿顿命令那里的祭司教我说你们这里的话。你说得不错,我是从很远的地方来的。公主!我希望能回去,我在这里很不愉快啊!"

公主说:"但是,我的父亲戈坦要娶你做王后,你一旦做了王后,一定会十分愉快的。"

琴恩说:"这是不可能的,我早已经结过婚了,而且,我很爱我的丈夫。啊!公主!如果你真的懂得什么叫爱情,我想你也一定会反对戈坦娶我的。"

欧拉静静地想了很久,说:"我明白。我很同情你,但我也非常抱歉。我虽然是戈坦的女儿,却也面临着和你一样的命运:奉命去嫁一个我并不爱的人。我没有办法改变这种不幸,我连自己都救不了,又怎么能救你这样一个遭奴役的人呢?你知道吗?这就是你面对的现实。"

这一天晚上,戈坦在王宫的大宴会厅里大摆筵席,招待群臣。因为明天就是公主下嫁的日子了,这是全国的大喜事,举国上下都知道,明天欧拉公主将和莫撒酋长的儿子布洛特完婚。布洛特的祖父过去也当过帕鹿顿的国王,莫撒原以为自己是该继承王位的,没想到后来戈坦当了国王。宴会开始得很早,这时候莫撒父子俩都已经喝得酩酊大醉。今天,所有的武士都参加了这个宴会,所以大厅里非常热闹。但是戈坦的心里并不十分高兴,因为他既不喜欢莫撒,也不喜欢布洛特,他之所以决定把公主许给布洛特,是别有一番政治目的的。他希望用结亲这个方法,来巩固自己的王位。同时,他心里也害怕约东,因为他总隐隐感到,约东也有可能夺他的王位。而莫撒在众多的酋长之中,是最强大的一股势力,万一约东谋反,莫撒会牵制他的力量,这对自己是有利的。戈坦就是这样深思熟虑之后,才决定把女儿嫁给布洛特的。至于女儿是否愿意,是否幸福,他根本没有考虑。

这时大家都在喝酒,那些粗鲁的武官和武士们平时只懂得打仗,根本不懂得宴会上的礼仪,一个个都喝过了量。布洛特忽然举着一杯酒,站起来说:"这一杯酒,我为庆祝公主欧拉而喝!"说完,也不等别人有什么反应,就一仰脖把一整杯酒喝下去了。

布洛特刚喝完,莫撒又把一杯酒举起来说:"这一杯酒,为庆祝欧拉公主和我儿子结婚而喝!将来他们的儿子,可以收回帕鹿顿的王位,把王位归还给原本该继承的人!"

戈坦一听这话,正好触到了他的痛处,不禁勃然大怒,跳起来说:"我还没有死呢,布洛特也还没和我女儿结婚呢,我还有的是时间和力量来保护帕鹿顿王位!谁敢胆大妄为,我刀下可不留情!"

这时,整个大宴会厅都静下来,谁都不敢大声出气。大家看戈坦声色俱厉,都被吓住了。每个人的目光不觉都转到了莫撒和布洛特身上。莫撒正好坐在戈坦的对面,布洛特平时在戈坦面前还是毕恭毕敬的,今天也因为饮多了酒,有点失去理智,否则他是不敢得罪戈坦的。这时布洛特见戈坦对自己的父亲大发雷霆,反而比莫撒本人更为愤怒,他顺手从身边武士的刀鞘中抽出一把刀,用足了力气向戈坦投掷过去。投掷刀棍本来是帕鹿顿武士擅长的本领,而现在他和戈坦离得又不远,戈坦又没防备他这一手,所以那刀正好刺在戈坦的胸膛上。

因为事出突然,大家都还没反应过来,都不知自己该采取什么行动。布洛特知道自己闯了大祸,酒也吓醒了,悄悄向身后那道门退去。有些武士们回过神来,愤怒地抽出佩刀拦住布洛特,要为国王报仇。莫撒一看情况不妙,急忙赶到儿子身边,高声说:"大家不要乱!现在戈坦已经死去,我莫撒就是国王了!帕鹿顿忠勇的武士们都冷静下来,要知道,你们应该服从你们的新国王!"看情况,莫撒的这一席话没起到什么作用,武士们蜂拥上来,把他们父子俩团团围住,无数的利刃直向他们刺去。这时约东站出来,大声号令着武士们:"抓住他们两个!帕鹿顿的武士们,你们应该先处治这两个杀了国王的凶手,然后再选举新王!"

正在这时候,突然闯进来一个酋长,他带来了大队的武士,看样子他是帮助莫撒父子的。莫撒和布洛特趁这混乱之机,从宴会厅逃离出去。

莫撒父子住在阿卢尔城的贵宾招待所。父子俩带来的武士和奴隶因为没受戈坦的邀请,所以不能去参加宴会,只能在原地等候。莫撒父子匆匆赶到这里,命令他们急急收拾行装,准备立刻离开帕鹿顿。不一会儿他们就收拾完毕,父子俩率领众人仓皇而逃。

莫撒忽然想起了什么,低声对布洛特说:"我们把公主撂下不管吗?不如把她带走,她也拥有相当的号召力,可以帮助我们篡夺王位呢!"

布洛特现在已经吓昏了,一心只想逃命,说:"咱们还是早点出城吧!再耽搁下去,他们全城的人都会追捕咱们呀!再说,公主没有戈坦的命令,也未必会听咱的,她若是也闹起来,岂不更添乱,那可就更脱不了身啦!"

莫撒比布洛特冷静得多,他语气坚定地说:"时间还来得及,现在他们还在那儿乱打呢!即使战斗结束了,他们也得先殡殓戈坦的尸体,暂时还不会想到公主。现在正是留给我们的最好机会,我们万万不可错过。儿子!这个好机会可是真神赐给我们的呀!快跟我来!"

布洛特此时六神无主,只好跟着父亲走。莫撒命令他的武士和奴隶们暂时在这里等,只他们父子两个人行动。不久他们就来到了公主住的花园。到了花园门口,莫撒装出惊慌失措的样子,对守门卫兵说:"国王的大宴会厅里打起来了,戈坦命令你们快去,把驻守花园的卫兵都叫上,公主的住处由我们来保护,你们快去那边助战。"

武士们原先就知道明天公主就要嫁给布洛特了，现在戈坦让莫撒父子来保护公主也是合情合理的事，加之莫撒的权势在酋长里又是数一数二的，违抗了他的命令也是会给自己惹祸的。卫兵都是些粗鲁无谋的人，听了这话，赶忙向花园里的卫兵传话，一起向宴会厅奔去。

莫撒见武士们走远了，才进到公主欧拉的房里。布洛特跟在父亲身后。欧拉屋里一共有三个人，欧拉首先发现有生人进来，立即站起身来怒声问道："你们是干什么的？怎么随便就闯进来了？"

莫撒走到欧拉面前，想要欺骗公主，让她顺从地跟着自己走。突然他看见了琴恩，觉得她美丽得简直像女神。但他马上克制住自己，不能忘了到这儿来要办的正事。

他高声说："欧拉公主！这是我的儿子布洛特，你该认识的，明天，他就是你的丈夫了。我们有要紧的事要告诉你，因为情况紧急，请你原谅我们贸然而入。方才王宫的大宴会厅里有人叛变，国王戈坦已经死了，叛徒们喝醉了酒，现在正往花园这边冲来。我们要保护你，为了你的安全，我们必须把你带出阿卢尔城。别再耽搁时间，你赶快收拾一下，他们马上就要来了。"

欧拉惊慌地问："我的父亲已经死了吗？"她把眼睛瞪得大大的，喊着，"假如我父亲戈坦真的死了，我不能走！我应该留在王宫里统率全国人民。既然老王戈坦不在了，我就应该是代理女王，这是无可争议的事。然后再让酋长和武士们选举新王，这是历来的法律。现在我是女王，没有任何人能强迫我结婚了。莫撒酋长你听着,天上的真神都知道,我并不愿意嫁给你那怯懦懒惰的儿子!"她指着门,神情十分威严地命令他们出去。

莫撒觉得骗不了公主,但时间又非常紧,所以心里很急。他又望了望站在公主旁边的那个美丽女子。她显然年龄比公主大,可是却光彩照人,还带有一种高贵的气质,这是他平生从没有见过的。记得宫中有人传言,说有一个外族女子十分漂亮,戈坦早打算娶她做王后,大概就是眼前这个人了。他对儿子说:"布洛特!你带走你自己的女人,我也要为自己带走一个!"莫撒说完,马上扑到琴恩的身边,一把搂过她,欧拉和潘纳特丽还没明白是怎么回事,琴恩就被他扛在肩上。不管琴恩怎样挣扎,他只管快步向外走去。

布洛特见父亲抓起一个女人走了,他也要去抓欧拉,但是欧拉身边有潘纳特丽。潘纳特丽本就是一个凶蛮的少女,自然不会袖手旁观,当布洛特扛起欧拉要往外跑时,她就拖住布洛特的腿不放。布洛特被她一绊,连同公主一起跌倒在地上。布洛特趁势抓住了潘纳特丽的头发,同时抽出他的佩刀想杀死潘纳特丽,以便快一点脱身。

正在这个时候,身后的门帘忽然被撩开了,有一个人像飞一样地奔进房来。布洛特的刀还没刺着潘纳特丽,飞进来的那个人便托住了他的手腕,在他的后脑上重重打了一下,布洛特就像口袋一样倒在地上不动了。这个只知享乐的懦夫和懒汉,至死也没明白打死他的人是谁。

我们再回过头来说泰山。他为了逃避格雷夫的追赶,就跳进了水池,但这也只能暂避一时。他正在寻找出路。他偶然抬头一看，见水池对面的岩壁上有一个洞，还有月光从那个洞里射进来，映照在水面上，便朝那个方向游去。泰山这时听见背后的水面上有声音，知道格雷夫也跳进水池里来追他了。他虽然看见前面有个洞，但由于他在水里，也看不准那个洞有多大，可是除此之外，再没有逃生之路了。泰山于是拼命向那个洞口游去。

再说鹿顿。他被琴恩拉动皮带隔到另一边去了。当初机关是他设计的，他当然有办法逃出去。但他想到，约东一定会趁这时候把琴恩带走去献给戈坦。这可是他不能容忍的！于是决心要报这个仇恨。他想，最好的办法就是去煽动莫撒和戈坦作对，找机会夺取王位，莫撒如果做了傀儡王，那么自己就掌握帕鹿顿的实权了，因为平时莫撒就对鹿顿言听计从。他咬紧牙关，望着刚才泰山跳进来的窗子——自己逃跑的捷径。他在黑暗中只能用手摸索着前进，唯恐一脚踏空掉进豢养格雷夫的洞里去。他此时又气又恨，狠狠地骂道："该死的女奴隶！胆敢利用我的机关来捉弄我，哼！等着瞧！你早晚要付出代价的……啊！真神啊！请你保佑鹿顿，严厉惩罚那个女奴！"

他慢慢摸到窗前，顺着墙根小心翼翼地爬了下去，一直到双脚踏到地才放下心来。他忽然想到，即使追上约东和那女人，自己也没有本领和约东决斗，所以他还是决定不去追，暂且忍下这口气，等以后再谋算他。他思前想后，比较了一阵，觉得还是后一种办法好。

于是他回到自己住的地方，把几个平时对他忠心耿耿的祭司找来。这几个祭司平时也是对戈坦心怀不满的。他说："现在，我们的好时机来了，我应该去统治王宫了！我打算用莫撒去收拾戈坦。来,潘撒特(即软皮肤),你秘密请莫撒到庙宇里来。你们另外几个祭司,先到王宫那边去,预先把武士的队伍整顿好,见机行动。"

他们密谈了大约有一小时,图谋推翻戈坦政权。叛变的步骤也商量好了:先派一个人在庙里发出暗号,那边见信号后就刺死戈坦。然后再选一个平时和鹿顿关系密切的军官,由他来胁迫其他军官允许鹿顿派的武士们冲进王宫。他认为自己这个部署周密可靠,一点漏洞也没有,心里自然洋洋得意。

当潘撒特到王宫的时候,看见大宴会厅内外已经乱作一团,正打得不可开交,几分钟之后,鹿顿见他气喘吁吁地跑回来,急忙问他:"事情怎么样了?潘撒特!你是不是被他们赶回来了?"

潘撒特回答说:"我尊敬的总祭司!你说得一点也不错,我们的时机果然来了!我去的时候,戈坦不知已被谁杀死了,莫撒逃走了。武士们正在王宫中混战,打得不亦乐乎。我来不及细看,也找不到人可以打听,反正我看出各派都有领头的,我料想这场战斗不会持久,目前,约东在那里指挥。有一个逃出来的奴隶告诉了我一个消息,说戈坦是被布洛特刺死的,布洛特和他父亲莫撒现在已经逃出王宫。"

鹿顿听了,像被提醒了什么,不禁喃喃自语地说:"不错,我倒忘了他,约东也是一个劲敌,假如我们这里不赶快采取行动,王宫里那帮蠢东西也有可能举他为王的。潘撒特!你马上到城上去,一边跑一边大声喊,就说约东刺死了戈坦,现在正在威逼欧拉把王位让给他。你喊的时候,可以尽量夸大其词,说得越动听越好,叫武士们赶快去增援,最好引他们从秘密通道进王宫去,因为那条秘密通道只有我们知道。赶快去!潘撒特!别耽搁了,这事必须赶在他们弄清真相之前进行。"

潘撒特刚想走,鹿顿又把他喊住了,说:"潘撒特!还有另一件事,你也必须注意,就是关于那外族女人的消息,她被约东从庙里劫走了,你知道吗?"

潘撒特说:"我只听说那女人让约东劫走了,还听说他把她藏在王宫里,这也是他们告诉我的,到底是不是真的,我可就不知道了。"

鹿顿说:"据我所知,戈坦命人把她带到花园里了,但不知道是不是真的。潘撒特!闲话少说,你赶快去吧!"

在鹿顿住处的走廊中间,有一个戴着面具的祭司站在屋门帘幔的外面,他已经听见了潘撒特和鹿顿的密谈,所以当潘撒特出去的时候,他有意让潘撒特先过去了。潘撒特一点也没察觉身边还有别人,就急急忙忙顺着那条秘密通道往前走。这条通道可以从庙宇里通到王宫的地下,然后一直通往城里。潘撒特一直没发现有人悄悄地跟在自己身后。

十六
秘密通道

那头格雷夫在泰山身后追着,它看见泰山分开被月光映照着的水面,游到对岸,钻过一个洞,游到外面的大湖里去了。泰山知道自己已经脱离危险,心里非常高兴,但他马上想到琴恩还在危险之中,不禁又着急起来。他想,现在必须马上赶回刚才找到她的那座三层楼房去。但是,他不知如何才能回到那个地方。

泰山借着月光仔细看去,见沿湖的岸上是陡峭的悬崖,这悬崖顺着湖边延伸过去,恰好截断了庙宇和王宫之间的通路。他要到王宫那边去,还真找不到能通得过去的地方。他游到悬崖脚下,想找个地方爬上去。谁知这片悬崖竟像刀削的一般平滑,根本找不到踏脚的地方。顶上虽然能望见洞穴,可是怎么能爬上去呢?正当泰山无计可施时,忽然看见对面有一个山洞,和他所在之处相距不远,泰山又向前游去。游到跟前仔细一看,果然是一个洞,再看看周围,这一带并没有人。他从洞口爬过去,发现前面竟是一条走廊,里面虽然黑暗,但有月光照进来,倒也能看见东西。泰山放轻脚步向走廊深处走去。拐了一个大弯,他又走上了另外一条走廊。这一段走廊里每隔一段路,墙壁上都有个壁龛,壁龛中都点有小灯。借着这些微弱的灯光,可看见墙壁上有许多洞口，而且还能听到一些声音，他猜测，距此不远可能有祭司。

泰山要去找琴恩，必须要在来来往往的敌群中穿过。如果以本来面目出现，几乎是不可能成功的。根据他过去的经验，最好的办法就是再去找一个面具。因为他第一个面具在爬三层楼房时已经放在墙脚下了，现在根本不可能再去取回。于是他俯身向前走去，沿着走廊走到最近的一个屋门边。这时的泰山，像一头在追踪猎物的狮子一样，一面俯身向前，一面用嗅觉来寻找他的目标。他一路嗅着找过去，终于来到一处挂着幔帐的居室前，他先是伸进头去，接着是肩膀，然后整个身体都悄无声息地钻了进去。只见幔帐轻轻地摆动了一下，马上就复归于平静了。一会儿，只听见走廊里传来一些气喘与痉挛声。一小会儿工夫以后，门幔突然向两边分开，从里面走出一个身材高大的、戴着一副狰狞面具的祭司来，大步流星地沿着通道走过去。他忽然听见左边的房屋中有声音，便立刻停住脚步，用耳朵贴近听了一会儿，然后迅速躲藏在旁边的黑暗处。接着，一个祭司从房子里走出来，匆匆顺着走廊走去。

走廊两边都是岩壁，走在前边的那个人就是潘撒特。他走了几步，从一个壁龛中取下一盏小灯。跟在后面的那个人与他保持着一定的距离，躲在灯光的暗处。这样走了一段路之后，那个跟踪者看到前面有台阶了，其样式就跟华丹族居住的地方一样。这时潘撒特仍旧向前走，跟踪者仍在尾随着他。那个跟踪者只觉得越往下走，走廊越窄越低了，他只得把腰弯下来走，眼睛还需注意路面。一路走去，都是向下的台阶，每一层大都是六级，然后有一小段平路，接着又是台阶，但是也有一两级的。这一段台阶整体很长,有五十到七十五级。来到走廊的尽头,但见有一间小房子,房子旁边有一堆碎石。

潘撒特走到这里,把灯放在地上,匆匆忙忙把那堆碎石推到一旁,墙下竟露出一个小洞来。这堆石头的对面还有一堆乱石,他又去推开,那里也露出一个小洞来,刚好能容纳他钻过去。潘撒特钻进洞里,后面那个跟踪者也跟着爬了进去。进去定睛一看,原来这里正是悬崖上突出的地方,下面是大湖,上面是悬崖的顶端。这个突出的地方,一直延伸到一间屋子的后面,而那个屋子就在悬崖边上。当那个跟踪者钻过洞的时候,正好看见潘撒特进了那间屋子。后面这个人跟上去,拐了一个弯,见潘撒特已经从一道门里走出去,正站在那里四下打量着。潘撒特忽然发现自己身后也有一个祭司,他以为这个祭司一定是和他一样先后被派出来的,不但没有疑心,反而更壮胆了。在他们上边约一百米的地方,正是王宫的白色墙壁。这时候,后面那个跟踪者才知道这条路正是从庙宇通往城里的秘密通道。他方才听到鹿顿对潘撒特说的秘密通道,原来就是刚才走过的路。当然,潘撒特到这里来要干什么,他心里也是一清二楚的。

那个跟踪者跟到这里,已经辨明了方向,认识了路径,就不必再跟着潘撒特了。他完全可以独自到王宫里,去寻找并搭救琴恩了。他轻而易举地混进了王宫。每当遇到守卫的武士们走过时,他就反背着手靠在墙壁上,做出一副落落大方的样子,其实,他的目的是不让人看见他与众不同的手指。武士们只带着光亮微弱的火把,都没看出这位堂堂的祭司身上有什么可疑之处。

这位假扮的祭司要寻找的目标就是花园。他原来想从园门进去，后来一想，深夜里祭司是不会到花园里去的，从园门走反而会引起别人疑心。于是他越墙进了花园。园里静悄悄的，但他从鹿顿和潘撒特的对话里确知琴恩被劫到花园里来了。从时间上计算，鹿顿绝对来不及把琴恩从花园里再劫往别处去。同时他也猜想到，假如琴恩在花园里，那一定是受戈坦之令交给欧拉公主了，自己只需找到欧拉的住处就行了。他辨认了一下方向，直奔欧拉的居室，但使他觉得奇怪的是，门前为什么一个卫兵都没有呢？仔细一听，里面却有愤怒争吵的声音。他走到一道门幔前，从缝隙里向室内一看，只见有两个女人和一个荷丹族的武士正在扭打着，这两个女人他都认识，一个是公主欧拉，另一个就是潘纳特丽。

泰山往里看的时候，正是那武士摔倒了欧拉，揪住潘纳特丽的头发，举刀要杀潘纳特丽的时候。泰山急了，一个箭步过去，抓住那武士拿刀的手，在他脑后重击一拳结果了他的性命。

杀死布洛特之后，泰山摘下面具，两个少女马上认出了救她们的人就是泰山。潘纳特丽向泰山跪下，俯下身去，前额着地，不肯起来。她知道这次如果没有泰山，她就没有命了。泰山几次叫她起来，她才站起身来。泰山此时急于要找琴恩，没有时间来听她们感恩的话，更没有工夫询问她们详情，急忙问道："你们快告诉我，和我同种族的那个女人，就是约东带到这里来的那个女人，如今在哪里？"

欧拉赶忙回答说："她刚离开这儿，被这个死人的父亲莫撒抢走了。"

泰山又大声问："他们往哪儿去了，莫撒是往哪里走的？"

潘纳特丽指着刚才莫撒进来的一道门说:"他是从那个门出去的。他们本来是抢劫公主的,没想到却把那个外族女人抢走了。我估计他们会把她劫到吐鲁城去,因为吐鲁城是莫撒管辖的城,就在黑湖的旁边。"

泰山对潘纳特丽说:"我要去找她,她是我的妻子!等我救出她之后,再来救你,让你和欧马特见面。你就等在这里不要动!"

潘纳特丽还没来得及回答,泰山已经跑出去了。他跑得飞快,简直像离弦的箭一样。到了一个院子里,他碰到了一些武士。这些武士是奉酋长之命去增援戈坦的武士的。

泰山这时因为心里很急,忘了自己是摘掉了面具的,因此有些武士叫起来:"好哇!你逃到这里来了,侮辱真神的东西!"

但是其中也有一部分叫道:"啊!真神的儿子!"泰山从这一点看出,他们不是百分之百对自己失去信任的。

泰山握着刀,走到他们面前,他心里在想,如果自己独自一人跟他们决战,肯定难于取胜,而且现在最重要的是去追莫撒和琴恩,而不是和武士们在这里白耽误工夫。于是他向前走了一步,举着手,对武士们说:"听着!我是真神的儿子,特意来向你们传达消息的,现在戈坦已经被杀了,我的父亲选定约东做你们的国王,但是总祭司鹿顿设了许多诡计要夺取王位,他准备杀死你们这些忠勇的武士,然后让莫撒做国王。莫撒如果登了王位,鹿顿是会把他当傀儡耍的。你们快跟我来,鹿顿已经秘密组织了叛变的军队,派遣他的心腹从秘密通道偷偷潜入王宫。他要杀掉约东和所有的武士。你们赶快赶过去增援吧!"

那些武士们听了泰山的话,半信半疑,其中有一个武士问他说:"你有什么证据能证明你没有说谎呢？你是不是企图搅乱我们的视线,叫我们不知道到底该去增援谁？"

泰山说:"我拿我的性命向你们保证,我刚才说的话都是真的,假如你们发现我是在说谎,凭着你们人多,可以把我收拾掉。但是时间已经很紧急了,你们快跟我来,祭司们已经在城里召集他们的武士了。事不宜迟,快来!"泰山不等他们回答,就向对面一道通往王宫的门跑去。

那些武士们跟在泰山身后,不一会儿就来到了城里。泰山领着他们来到秘密通道的出入口时,他们看见前面有许多武士从四面八方向这里围拢过来。跟在泰山身后的武士中的一个领队说:"外来人!看来你说的话不错,那儿果然有很多武士,中间还夹杂着几个祭司,正和你刚才告诉我们的一样。"

泰山说:"你们相信我说的话了吧,这就好了,我可以放下这里的事,去追莫撒了。他做了一件极伤害我的事,我不可能放过他:你们去告诉约东,就说真神的儿子随时在他身旁,同时还要告诉他,揭穿鹿顿要夺王位阴谋的也正是真神的儿子!"

那个领队人说:"好的,我们不会忘记,你既然有事,那就请便吧!我们的力量足够抵御这些叛军的。"

泰山走了几步,又回来问道:"请问一声,吐鲁城在哪里？"

那领队的人说:"在阿卢尔城的下方,第二个大湖的南面,那个大湖叫黑湖。"

那些武士们立即向叛军走去。叛军起初还以为他们是自己人呢,因为武士脸上没有带着要仇杀的神情。等到走近了,那个领队高叫一声,武士们一拥而上,冲杀过去,打得那些毫无防备的叛军措手不及,纷纷逃散。

　　泰山揭发了鹿顿的阴谋,知道鹿顿一定没有力量抵挡王室的武士,心里非常高兴。他迈着愉快的脚步走上一条街,一会儿就出了阿卢尔城。他辨清道路,径直向吐鲁城奔去。

十七
在金湖边上

莫撒抱着琴恩,一步不停地跑出戈坦的王宫。琴恩拼命挣扎,但莫撒非常有力气,她怎么也挣脱不开。莫撒虽然知道她不会从自己手中跑掉,但也怕琴恩的喊叫声惊动了戈坦的武士。于是他把琴恩的手脚捆起来,用布把她的嘴塞住,然后才顺着一条捷径冲出阿卢尔城,逃到他部下的住处。那些部下等了许久不见布洛特来,但知道布洛特认识路径,就先出发了。他们奔到大湖边,见湖中恰好泊着几条独木船,其中一条最大,是用一棵大树凿空做成,船头和船尾还都雕饰着飞禽走兽的图形,涂着各种油彩,活像一件美丽的艺术品。

两个武士在莫撒的命令之下,把琴恩放在大独木船的船尾。莫撒也登上船站在琴恩的身边,直到大家操起船桨准备开船的时候,他才对琴恩说:"来吧!我的美人儿!好好地跟着我吧!没有人敢来伤害你了。你一定要知道,我莫撒是个好人,只要你肯听我的话,什么事我都答应你。"这时,船已划动了。他为了取得琴恩的欢心,就给她解了绑绳,取出塞在她嘴里的布。此时,他当然知道琴恩跑不了了,因为独木船已经在大湖当中,况且周围还有这么多武士,即使琴恩想跑,她能往哪儿跑呢?

独木船向前行驶,两长排的船桨滑动着湖水。

独木船向前行驶着,靠船舷两边,两长排的船桨在划动着湖水,溅出阵阵浪花。武士们的船在前,莫撒的大船在后。他背向琴恩,躺在船舷旁,可能是太累的缘故,一会儿就沉沉地睡着了。那些武士们也都默默地用力地划着木桨。

后来,船进入了一条小河。这时已经入夜了,月光十分皎洁。小河两岸长着大树和绿草,小船在绿草如茵的两岸间穿行。这是从大湖里流出来的一条河,月光直照水面上,使得河水像一条银色的飘带;有些地方被大树的枝条遮蔽,使船只完全进入阴影里,月光被树叶筛成斑斑驳驳的亮点闪烁在河面上。

在河里行进了一段路之后,又进入另一个湖泊。这里的湖岸到处是大树,浓密的枝叶遮蔽了一切,再也看不见如银的月光了。

琴恩坐在最后一条独木舟的尾部,她回忆着这几个月的监禁生活。不久前,泰山的格雷斯托克庄园被豪蒲曼·弗立茨·施奈德所率领的德属非洲土著军队抢掠一空,她在这次劫掠中被作为俘虏带走了。从此以后,她辗转很多地方,始终过着囚禁生活,再没有呼吸过一天自由的空气。她之所以能从无数次艰难险阻中活过来,她真的认为是仁慈的上帝对她格外垂怜。

最初,她似乎还是德国最高当局指令下的一个有价值的人质,在这一段时期里,她的日子过得还可以,没受什么虐待和迫害。但是后来,当德军在东非的战事失利之后,她的日子就不好过了。显然,她不再具备任何军事价值,简直成了德军的出气筒。德军越打败仗,她受的报复越厉害。

在往非洲腹地撤退的途中,日子不好过的不仅是琴恩一人。

本来就士气低落的德军,常被飞来横祸所困扰,他们总觉得有一个足智多谋的人在暗中追随着他们,这个人神出鬼没,防不胜防,说不定什么时候,也说不定从什么地方,就会令德军受到致命的攻击,德军中说不定哪个倒霉鬼就会突然一命呜呼。知情人士心里大都明白,追踪报复他们的多半是被他们糟踏苦了的庄园的主人——格雷斯托克爵士,即有名的人猿泰山。

德军因此多少有些后悔,早知如此,真不该跟泰山玩这种把戏,以至于使他误以为他的妻子被德军烧焦了,为此德军几乎遭到上千次莫名其妙的攻击。他们为在庄园里的恶行几乎付出了上千倍的代价。尽管琴恩至今仍在他们手中,实际上倒成了他们手中的一块烫手山芋,扔掉也不妥,杀掉更不敢。

为了逃避英军的强劲攻势,德军只好把琴恩押往非洲内陆。他们选派了奥伯葛茨中尉作为琴恩的护送人。

奥伯葛茨很幸运,不止一次地在人猿泰山的报复行为中幸免于难。后来,他把琴恩安置在德国控制区的一个土著村子中,这个村子的酋长慑于德军的威势,一直对他们俯首听命。在这个土著人村子中生活,对琴恩来说当然是非常艰苦的。至于奥伯葛茨中尉,也不敢擅自改变驻军地点,只能听命于远方的上级。

德军在这里驻扎的时间越长,这里的土著人越觉得这个村子是座地狱,因为这位傲慢的普鲁士长官不但对村民残酷压迫,而且连酋长也得对他唯命是从。这位中尉老爷时不时会爆发烦躁的脾气,他那我行我素的作风使这里的土著村民,甚至连酋长也到了忍无可忍的地步。

傲慢的德国中尉所觉察不到的东西,琴恩·克莱顿却看得一清二楚，因为任何一个旁观者只要对土著士兵和当地村民抱有同情心，都会觉察出奥伯葛茨对这些人的任意凌辱和虐待已经使得他自己坐在一个一触即发的火药库上。

火药库终于要爆炸了，尽管它的发生有点偶然。它的起因是：有一天下午，一个德国土著逃兵从前线逃了回来，他光着脚一瘸一拐地到了村子。还没等奥伯葛茨中尉老爷发现他，他带回来的德军失利的消息就在村子里迅速传开，就连奥伯葛茨手下的土著士兵也很快就明白，统率他们的军政权威已经不存在了，拖欠他们许久的那点薪水恐怕也会付之东流。对他们来说，现在的奥伯葛茨只是一个无权无势的、令人厌恶愤恨的外国人。这时，一个村妇突然跑来找到琴恩·克莱顿女士，告诉她一个秘密，就是土著士兵联合村里的村民，将要对那个他们憎恨已久的日耳曼人实行暗杀计划。

这个妇女之所以来告诉琴恩这个消息，不外乎两个原因：一个是妇女之间的同情心，另一个是这位黑人妇女也看出，奥伯葛茨和琴恩虽都是白种人，但他们显然是敌对的双方。

那黑人妇女最后还对琴恩说："他们还正在争论怎么处置你呢！看谁能够占有你！"

琴恩听到这里，心里不免一惊，但马上沉着地问道："他们准备什么时候动手？你听他们说了吗？"

那黑人妇女低声说："今天晚上。因为一直到现在，他们还是有点怕那个白人老爷，所以等到晚上那白人老爷睡着以后，再下手杀死他。"

琴恩向这位黑人妇女道了谢，就赶快打发她走了。她怕村民或土著士兵知道她来通风报信。走漏了这么重要的消息,她要大祸临头的。

琴恩冷静地思考着自己的未来。她觉得,只有远远地逃离这个村子才是唯一的出路。打定这个主意之后,她就毅然决然朝奥伯葛茨的小屋走去。她以前是从来不到这里来的,奥伯葛茨见她走了进来,反倒有点吃惊。

她简短地告诉了中尉她听到的坏消息,开始中尉还打算对士兵和村民进行一下虚张声势的恫吓,以为这样就可以把事情压下去,但他这个想法很快就被琴恩否定了。

琴恩非常干脆地说:"这样做根本无济于事,他们早就恨透你了!不管那个逃兵带来的消息是真是假,反正你手下的兵和村民们都相信这个消息,这一点恐怕你无法改变。我认为目前对你来说,最好的办法就是逃走。如果不逃出这个村子,到不了明天早上,我们都会死在他们手里。如果你现在还想去吓唬他们,那么我敢说,你会死得更快。"

奥伯葛茨问道:"情况真有你说的那么糟吗?"从他的神态和语气中可以看出,他已经不像刚才那么有信心了。

琴恩非常肯定地说:"我告诉你的这些消息都是千真万确的,只是你一贯满不在乎,看不出来罢了。他们已经决定趁今晚你熟睡的时候杀死你。看来,祸事已迫在眉睫。咱俩毕竟都是白种人,我建议你给我一支手枪,一支来复枪和一些弹药,我们假装一起去打猎,就像平时那样,你不要露出惊慌的神色。你这次突然带我一起去打猎,也许会引起他们怀疑,你就说这次要多打一些猎物回来,至于他们会有什么反应,这就要看我们的运气如何了。而且,你还要像平常一样,仍然摆出一副中尉老爷的架子来。如果一切顺利,我们就可以一走了之,从此再也不回这个村子里来。"

琴恩见奥伯葛茨已经被自己说动了,才又继续说:"不过,你必须按照咱们欧洲人的习惯先发誓,保证逃走之后,你永远不伤害我,否则我还不如立刻报告酋长,先杀了你,然后我再自杀。对我来说,到了丛林里受你虐待,和留在这个村子里受黑人的凌辱都是一样的。"

奥伯葛茨中尉想了想,无可奈何地说:"好!我发誓,以上帝的名义和德意志皇帝的荣誉我发誓,我决不会加害于你,格雷斯托克夫人!"

琴恩说:"好极了,今后我们就按照这一约定,互相帮助,共同返回文明社会。"

如果奥伯葛茨在开始时还怀疑琴恩告诉他的话,那么此时从琴恩这一番严厉而自尊的语气中,他的疑虑已经消释了。奥伯葛茨毫不犹豫地给了琴恩一支来复枪,还有一挂装满子弹的子弹带,接着就拿出他平时那副傲慢和暴躁的样子,叫来了他的土著仆人们,说他要和白人格雷(格雷斯托克的蔑称)到灌木林中去打猎,并命令仆人们为他们驱赶猎物。

仆人们要先往北走,然后绕一个大圈,朝村子这边赶回来。

白种女人格雷给他背枪支和子弹,然后他将在仆人们出发之后慢慢向东去,在他们的前面半英里以外等他们。黑人们都欣然答应了他的吩咐。奥伯葛茨和琴恩均发现那些黑人在他们身后窃窃私语。

奥伯葛茨等那些黑人都走开后，对琴恩咕噜着说："这群猪还以为我们什么都没觉察呢，哼！他们以为今天傍晚，我在临死前还给他们打些野物回来呢！"

等那些驱赶猎物的黑人消失在村子前面的树林里之后，两个欧洲人也按着相同的路走去。无论是酋长的武士还是奥伯葛茨的土著兵，都完全相信在今天晚上他们杀死这个白人军官之前，他和这个白种女人会给他们带回一大堆肉食。

走出村子半英里以后，奥伯葛茨和琴恩就从小路向南拐去，而后就加快步伐往前赶，以便甩开黑人士兵。他们从以前的观察中知道，黑人士兵是不会在天黑之后出来追赶他们的。因为他们最害怕晚上出来觅食的兽王——狮子，一到天黑，他们就把村寨边的围栏视为最好的防御物，决不肯迈出一步。

自此以后，他们两人就开始了一段日夜兼程的跋涉。他们风餐露宿，时时提防野兽的袭击和种种预想不到的危险，一直向南走去。

尽管从这里去东海岸较近，但是这一带现在已落入英军手中，奥伯葛茨坚决拒绝往这一带走。他坚持向南，穿过不知名的荒原，到中立的布尔人的南非去。琴恩是守信用的人，她当然不会中途违约。奥伯葛茨坚信，他们会到达布尔人的驻地，而且会让他们把他送到德国辖区，琴恩也只好被迫与他同行。

奥伯葛茨和琴恩一直向南赶路，也不知道走出了多远，虽然有几次遇到过危险，但每次都化险为夷。后来，走到离东海岸不远的地方，奥伯葛茨再不肯往前走了，因为他知道前面已经是英军管辖的地界。琴恩虽然竭力向他保证不违约，但他还是坚决不肯接受，一定要改道越过荒原到南非去。他说到了那里，一定会有人送他们到德国。到了德国，他一定派可靠的人护送琴恩回英国，决不食言。

琴恩辩不过他，只好依他的主张办。他们经过千辛万苦，越过荒原，来到了帕鹿顿的边界。这时，恰好是在雨季之前，帕鹿顿周围的沼泽地都已干枯，中央部分只有一点浅水。他们拣干地走过沼泽地，后来到了阿卢尔城北方的山谷。在这里他们碰到了荷丹族的一支打猎队伍，奥伯葛茨想办法逃脱了，琴恩却被他们捉住成为俘虏。从此以后，她再没见过奥伯葛茨中尉，也没听到过他的消息。

琴恩被劫持到阿卢尔城之后，有时被关在王宫里，有时又被关在庙宇里。戈坦和鹿顿见她长得秀丽，都想把她占为己有。只因为这两个人在国家里势均力敌，谁也压不倒谁，所以谁也没能达到目的。琴恩怎么也没想到，宫廷里的一场突变，又让她落到了莫撒的手里。她不知未来的命运到底如何，觉得非常可怕。

她坐在独木舟尾沉思着。莫撒酣睡在自己脚边。划桨的武士们又都是背对着自己，她忽然想出了一个脱身之计，她看了看周围，发现行船的路线离南岸很近，便轻手轻脚地跳下湖去。她怕出声惊动别人，所以等独木船划走了一段之后，才慢慢地在湖中向南岸走去。

琴恩是不会游泳的，她只能在水里慢慢地走。好容易走到岸上，这时周围漆黑，她裹在身上的兽皮也都湿了，手边又没有防身的武器，心里真是害怕。但在恐惧之中，她也有几分愉快，因为她自由了！这好几个月来，她从来没有这样高兴过。也许不多一会儿会遇到什么猛兽,也许死神就会降临到她头上,但不管下一分钟发生什么,她目前毕竟是自由了!她十分高兴,甚至控制不住地叫了一声。她站在这幽静的湖岸上四下探望。她看见前面是一片树林,里面黑洞洞的,阴森可怕,又听见丛林里有各种恐怖的声音:有风吹动一大片树枝树叶的声音,有狮吼猿啼,还夹杂着其他兽类的声音。这些声音合在一起,不禁使她浑身战栗起来。

她不由得想起了丈夫泰山,此时如果有他在,不但没必要害怕,还会觉得这些声音很有趣呢!从前的欢快丛林生活,现在回忆起来真像做梦一样。

她正在回忆往事,忽然有一阵狮子的吼声从黑暗处传过来,吓得她毛骨悚然。她知道危险临近了,不能继续在湖边逗留。狮吼声渐渐近了,她急忙走近一棵大树。

狮子又吼了一声,这次听起来似乎更近了。她急忙攀上一个较低的树枝,她的胆量和气力在和奥伯葛茨长途跋涉的过程中也锻炼出来了一些。现在,她就按照泰山教过她的方法,渐渐爬到树顶,找到一个较舒服的树杈坐下来。这时,她离地面约有三十英尺高。她准备就在这里过夜,也可能是她过于疲乏了,同时也觉得逃出魔掌而放下心来,一靠稳马上就睡着了。

第二天当她醒来时,太阳已经老高了。她被阳光照射着,身心都觉得很温暖。她站在树枝上,树叶的影子斑斑点点地落在她身上,有点像豹身上的花纹。

她仔细向树下打量一下,虽然还是能听到许多声音,但却没有什么动物走近。她慢慢地攀着树枝,跳到地上。她本想先找地方去洗一下,但此处距离大湖太远了,湖的旁边又没有大树,若遇到危险，连个逃躲的地方都没有，她犯不着为此去冒险。

她想不如先找点食物。林中有许多野果，随手可以摘到。她把野果吃了个饱，想想再没有事情可做了，就又休息起来。她倚在树上想，假如这里没有危险，就一直在这里等着。她知道，只要泰山还活着，一定会寻找她，即使走遍天涯海角，他总会寻到这里来的。她坚信这一点。目前，泰山是她唯一的希望。

她担心这里不够安全，于是信步又往前走，来到了一条小河旁。她见河旁有一棵大树，枝叶覆盖到河面上，如果有危险，她可以马上爬树。她下到河里去洗浴，欣赏着周围的风景，觉得这里很美。河水很清澈，可以看到河底各式各样美丽剔透的琉璃石。她觉得有趣，就捧起一把来看，这时她才发现，她有一个手指擦破了。她想，这一定是被琉璃石划破的。这倒给了她一个启发，这么锋利的石块，不正是天然的武器吗？

于是她拾了许多尖利的琉璃石，装满身后的狩猎袋。她爬上树，把这些琉璃石掏出来，仔细挑选出一些锋利得像刀一样的，她觉得完全可以做箭镞。

她思索着，觉得如果自己动手做武器，长矛是最容易制造的，于是决定先动手做长矛。恰巧树上有一个大洞，她就把琉璃石都储藏在里面。她只拿了一块像刀的琉璃石，又跳到地上。

她找到一棵笔直的小树，把小树折断，用它做矛柄。她打算做一柄像忠勇的瓦齐里武士用的那种长矛。从前在庄园的时候，他们也曾告诉过她如何使用长矛。瓦齐里武士是很擅长使用长矛的。

琴恩曾练过长矛，多少掌握了一点技巧，现在如果有一支长矛,总会起些防身作用。为了制造长矛,琴恩找了许多有韧性的草,连同矛柄一起带回到树上。她一边愉快地哼着歌儿,一边开始制作。她这样愉快地含着笑,哼着歌,在这几个月来还真是第一次。

她叹了一口气,自言自语地说:"我总觉得,约翰就在离我不远的地方,唉……我的约翰……我的泰山!"

她先把矛柄削好,然后将一端劈开,把锋利的琉璃石牢牢地夹进去作为矛尖。她又把草搓成绳,到河边洗净,然后把装矛尖的开口处紧紧扎住。就这样,她就地取材做成了一支长矛。这对琴恩来说,可不是件容易事。因为在这样的环境和条件下,即使是瓦齐里武士,做成一支长矛也是很不容易的,何况是伯爵夫人琴恩呢!

十八
吐鲁的狮子洞

泰山来到阿卢尔城外去寻找琴恩,直到天色大亮,连一点痕迹也没找到。他在晨风中仔细地闻着,也闻不出什么气味,于是他断定琴恩不知被劫持到什么地方去了。这时候他发现通往湖滨的路上有许多男人的脚印,认为这一定是劫持琴恩的匪徒们留下的。他循着脚印来到湖边,这里正是莫撒领着一群人乘上独木舟,回吐鲁城去的地方。泰山看见湖里还泊着几条独木船,就随便上了一条直追上去。

这时已经是白天了,在水上行驶十分顺利。当他驶到离下游不远的地方,看见一棵大树,他哪里会想到,这里正是昨夜琴恩睡觉的地方呢?这时,假如风是从南方吹过来的,他可以从风中闻出琴恩的气味,可是天公偏不作美,风向恰巧是相反的,于是泰山什么也没闻到,只管驾着小舟驶向下游的小河里。

这条小河弯弯曲曲,泰山的船一直向北走,却没有看见前面的陆地。莫撒和他的武士就是在这里弃船登陆的。也就是在这个地方,莫撒才发现他从阿卢尔城掳来的美人儿竟不知什么时候逃走了。琴恩逃走的时候,正是莫撒睡得正香的时候,武士们则认为有酋长在看守着她,因此一路上就没有注意。他们估计她逃走的地方,一定是在那条河最狭窄处,就是土名叫金湖的地方。莫撒因为这件事懊恼得要死,可是他也知道,这件事是他自己的过失,怪不到别人头上。

莫撒本来想再从原路回去找她,可是又怕约东或鹿顿派人来追赶,所以打消了这个念头。可是他对琴恩又确实放不下,便越过陆地到另一个湖里去寻找。

红艳艳的朝阳照在吐鲁城的白色城墙上,莫撒带着他的部下驾着独木船已经到了城外的岸边。这时莫撒心里觉得安全了,又有了勇气。他派三十个武士驾着三只独木船,再沿着来路去找琴恩,如果一切都顺利,不妨向阿卢尔城行驶,顺便打听一下他儿子还没回来的原因。

这三条独木船刚走出去不远,忽然看见两个阿卢尔城的祭司驾着一条轻便的木船迎面而来。武士们开始时有点惊慌,以为他们是鹿顿派来的先遣队,后面恐怕还有大部队。可是他们也熟悉祭司的习惯:他们不到万不得已时,不轻易和武士打斗。

两个祭司一见这些武士,马上露出和颜悦色的神情,武士们忙问他们后面是不是还有大队伍,他们回答说没有,只有他们两个人。莫撒武士的领队安下心来后,询问他们:"你们来这里干什么?这里是莫撒酋长管辖的地方,你们为什么离开阿卢尔城到这里来?"

其中一个祭司说:"我们是奉总祭司鹿顿的命令,来给莫撒酋长送信的。"

领队问:"是要战还是要和?"

祭司赶快连声说:"是请求和平的信。"

武士领队还是不放心,又叮问:"鹿顿真的没有派武士,暗暗跟在你们后面吗?"

祭司十分诚恳地说:"确实只有我们两个人。在阿卢尔城中,除了鹿顿,没有别人知道我们出来送信。"

领队说:"既然是这样,你们就走吧!我们还有别的事呢!"

祭司中的一个忽然指着湖水和河流汇合的地方,问:"你们看!那是谁?"

大家顺着他的目光望去,只见有一个高大的武士独自驾着一条独木船迅速地向这边划来,显然是要到吐鲁城去的。武士和祭司都悄悄躲进了岸边的芦苇丛中。

一个祭司低声说:"我认识他,就是那个可怕的人,他自称是真神的儿子,即使他夹杂在人群里我也能认出他来。"

吐鲁城的一个武士曾在戈坦的王宫中见过泰山,他说:"不错,就是他,别人都叫他可怕的泰山。"

那领队说:"两位祭司,你们听着,你们驾的是轻便船,船上又有两支桨,当然可以比他划得快,你们先赶到吐鲁城去,通知莫撒酋长,就说那个自称真神的儿子的人来了。你们别耽搁了,赶快走吧!"

这两个祭司知道泰山的厉害,驾着船拼命往吐鲁城驶去。武士们则躲在芦苇丛中。

两个祭司的轻便艇到达了吐鲁城的岸边,他们急急忙忙跑到莫撒的王宫去报信。他们一边走一边回头张望,恐怕泰山从后面追来。守卫王宫的武士们问明他们的来意之后,认为事关重大,马上领祭司去见莫撒。一个祭司见了莫撒,便说:"我们是奉总祭司鹿顿的命令来的,他愿意和你保持友好。现在约东手下的武士已经拥戴约东继承王位了,但是荷丹国内的好几千人民都拥戴鹿顿。鹿顿不愿意参政,他愿意推举莫撒做国王。所以他叫我们带信给你,假如你愿意和鹿顿保持友好,请你快快放回那个女人,就是你从欧拉公主那里劫持来的那个女人。"

正在这时候,有一个武士急匆匆地跑来报告:"那个自称是真神的儿子的人来了,他要求见莫撒!"

莫撒吃了一惊,说:"真神的儿子?他来做什么?"

那个武士说:"看他的样子,确实不像帕鹿顿这地方的人。今天从阿卢尔城回来的武士也曾说起过他,有人管他叫可怕的泰山,有人管他叫真神的儿子。但不管他到底是什么人,他敢一个人到这个陌生的地方来,我想也只有真神一族才有这个胆量,况且他真的没有尾巴!"

莫撒也感到害怕,他举棋不定,一时没了主意,只呆呆地望着两个祭司。

那个祭司说:"莫撒酋长!他既然来到了这里,我看回避不见是不妥的,你不如好好地招待他,然后趁他不留意的时候把他捉住。千万不要杀死他,把活的交给我们的总祭司鹿顿,我保证他会重谢你。"

莫撒点点头,命令武士请客人进来。

那祭司又说:"你召见这个客人,我俩必须避开。请你现在就给我们一个回信,好让我们去向鹿顿汇报。我俩最好现在就走。"

莫撒说:"你们回去告诉鹿顿,那个女人假如现在还在我这里,我一定会还给他的。但我从约东手里把她救出来返回吐鲁城的途中,她从船上逃走了。你们可以告诉鹿顿,说我已经派了三十个武士,沿原路去找她。哎!这事可有点奇怪,你们来时,怎么没碰到我派出去的武士们呢?"

那祭司说:"我们在半路上碰见他们了,但他们没讲他们的任务。"

莫撒说:"那就这样说定了吧!如果找到了那个女人,我一定替鹿顿把她关在吐鲁城里。我非常愿意和鹿顿合作,必要时,我一定派武士去帮他抵抗约东。现在你们赶快走吧!我估计那个可怕的泰山就要到这里了。"

莫撒又命令奴隶说:"把这两位祭司领到庙宇里去,告诉吐鲁庙里的总祭司,叫他好好招待,给他们点好吃的,让他们吃饱。然后派人护送他们回阿卢尔城去。"

两个祭司跟着奴隶走了。接着,泰山由一个武士带着进了门,他昂首挺胸,气哼哼地大踏步地走到莫撒面前。莫撒见他这副样子,心里就有几分胆怯,但表面还保持着镇静。

泰山站定之后,高声说:"我是真神的儿子。"这句话像一把利剑刺进莫撒心里,同时也把满屋的人都震住了。大家鸦雀无声。泰山又说:"我到吐鲁城来,是为了那个女人,就是你们从阿卢尔城欧拉公主那里抢来的那个女人!"

泰山这样理直气壮地闯进吐鲁城来,莫撒和那些武士已经是又惊恐又钦佩了。他们认为除了真神的儿子,平常人谁也不会有这个胆量。莫撒想到刚才和两个祭司商量好的话,心里不免忐忑不安起来。

泰山见他迟迟沉默不语,大声催问道:"快说!她到底在哪里?"

莫撒的声音不大:"她不在这里。"

泰山愤怒地高声说:"你撒谎!"

莫撒稍微提高了点声音说:"天上的真神可以为我作证,那个女人真的不在吐鲁城里。你可以把王宫、庙宇和全城搜遍,我保证你找不到她,因为她确实不在我这里。"

泰山问:"那么,她究竟在哪里?明明是你从阿卢尔城欧拉公主那里把她抢出来的,你说她不在你这里,那么她在哪里?快说!莫非你已经把她杀死了?"

泰山愤怒地瞪着两眼向莫撒的座位前逼近,莫撒吓得忙站起来,向后退了一步。

莫撒高声说:"慢着!假如你真是真神的儿子,你应该知道我说的是实话。我从戈坦的王宫里,替鹿顿把她救出来,不然,她也会被约束占为己有的。但在昨天夜里,她趁我熟睡的时候,从船上逃走了,就在从阿卢尔城到吐鲁城的半路上。我现在已经派三十个武士,驾着三艘木船,沿着原路去寻找她。"

泰山看莫撒的神情,判断他说的是实话。但他这时忽然又想起,刚才在路上看见了两个阿卢尔城的祭司驾着小船往这里来,于是他问莫撒:"鹿顿的祭司到这里来做什么?"

莫撒实话实说:"他们也是来要那个女人的,因为鹿顿怕我占有了她,所以来向我索要。真神的儿子!他们来此的目的,正和你一样呀!"

泰山说:"那好!我有话要问他们,你吩咐武士,把他们带到这里来!"

莫撒听了这话,心里暗暗有点高兴,因为把泰山的注意力引到两个祭司身上去,自己就可以脱身了。至于祭司的命运如何,他是不关心的,他现在只能考虑自己的安全。于是他对泰山说:"真神的儿子!你的吩咐,我当然要服从,我亲自去叫他们来。"他来到庙宇,把泰山的意思告诉了那两个祭司。一位祭司问他:"你打算怎么对付他?"

莫撒说:"我现在心里一点主意也没有。依我看,他既没跟我们动武,我们最好还是好好放他回去,谁能断定他不是真神的儿子呢?我们何必自找麻烦?"

一个祭司说:"我们和你的判断不一样,我们认为他不是真神的儿子,我们可以证明,他不过是个普通人,只不过打着真神的儿子这块牌子招摇撞骗罢了。鹿顿对真神宣过誓,断定他不是真神的儿子。你可别忘了鹿顿是什么人!他可是帕鹿顿地区总祭司的首领,难道他会看错人吗?莫撒!你心里不用胆怯,这个可怕的泰山不过是一个普通的武士,只需用平常的武器就可以把他制服。如果鹿顿没有说过要活捉他的话,我们一定鼓励你这里的武士把他杀死,但是鹿顿的命令我们不能不听,鹿顿可是我们的顶头上司啊!他的权威不比国王小,我建议你要慎重考虑这一点!"

莫撒听了这个祭司的话,心里又没了主意。他想了一会儿,说:"既然鹿顿要活捉他,那就随你们的便吧!我不想去难为他,也不打算得罪他。至于你们要怎么对付他,我不过问就是了。"

祭司回头问吐鲁城庙宇的总祭司:"你有什么好办法吗?如果真能活捉他,不但鹿顿会重重谢你,就连真神也会保佑你的。"

总祭司低声说:"这个庙宇里有一个狮子洞,前不久是关过狮子的,现在这个洞里已经空了。这个洞既然足以关住一头狮子,如果他不是真神的儿子,这个洞一定也能关住他。"

莫撒原说不管的,这时也禁不住插嘴说:"不错,这是个好办法,那个洞是能关住他。同时,还可以关进一头格雷夫去,不过,你们得先找到一头格雷夫关到那个洞里去呀!"

三个祭司想了一会儿,阿卢尔城的祭司先开口说:"据我看来,我们如果能够运用真神给我们的智慧来逮住他,事情一定会成功。这个人只可智取,不可力敌。"

莫撒说:"可是,以鹿顿的智慧都败在他手里了,难道鹿顿不比我们聪明吗?假如你们认为可行,就照你们的想法办吧!反正我不管。"

阿卢尔的祭司说:"这个人在阿卢尔城冒充真神的儿子的时候,戈坦曾经款待过他,并让祭司领着他参观庙宇,你也可以照此办理。他在阿卢尔有例在先,在这里也就不好拒绝。你们可以用吐鲁城里总祭司的名义,去请真神的儿子到庙宇里来,领他参观,大家都摆出对他很信服、很恭顺的样子,我估计他会上当的。等他不知不觉走到狮子洞的时候,领路人就立即熄灭火把,趁他没有防备,在黑暗中把他推进狮子洞,然后把洞口的石门盖上,这不就把他捉住了吗?"

吐鲁的总祭司说:"但是,那狮子洞是有窗子的,能够看见亮光,就是熄灭了火把,恐怕他也能看见,说不定石门还没盖上,他就跳出来了呢!"

阿卢尔的祭司说:"这个问题不难解决,可以先派一个人用兽皮把窗子遮起来,不就不透亮了吗?"

莫撒又插嘴说:"这倒是个好主意,因为这样做,可以不用武士,只用祭司陪着他参观就行了。"莫撒虽是个没主见的人,但他说这话也有他的私心,这事万一失败了,因没动用他的武士,所以他可以避开同谋之嫌。

这时,突然有一个武士从王宫跑过来报告说,真神的儿子在那里等得不耐烦了,直发脾气,说如果阿卢尔城的祭司不来见他,他就自己到庙里来。莫撒吓得轻轻地摇了摇头,心里暗想,这个人如果不是真神的儿子,就不敢闯到戈坦和自己的王宫里来。因此他认为,这三个祭司现在谋害这样的一个人,一定会自找大祸。好在自己没有掺和在里头,不论是什么样的灾祸,也不会有自己的份儿,所以他立即回王宫去了。

那三个祭司商量一番,就一同去见泰山,摆出诚惶诚恐的恭顺样子,说了一大套假话,总之是想办法骗取泰山的信任。总祭司表示了对真神的敬意,一定要请真神的儿子去参观庙宇,并接受祭司们的参拜,说真神的儿子能到他们庙宇里来,是他们莫大的荣幸,请真神的儿子万勿推辞。泰山见他们坚持邀请,心里感到有点奇怪,同时他又看不出莫撒对此事持什么态度。他暗忖:留在王宫里和到庙宇里去危险程度是差不多的。于是,他答应了祭司们的请求,决定到庙宇里去。

泰山来到庙宇中,那些祭司们都毕恭毕敬地来参拜他。参拜完了,他便询问从阿卢尔来的两个祭司。他们两个的回答和莫撒对他所说的大致相同。

总祭司请泰山去参观祭神的殿堂,吐鲁城的庙宇比阿卢尔城规模小,只有这一个殿堂。殿里的一切陈设也和阿卢尔城的差不多。殿堂的东边是血迹斑斑的祭坛,西边也有一个水槽。从祭司的面具上垂着的绺绺头发便可看出,在这里死去的人也绝不在少数。

他们领着泰山走过曲曲折折的走廊,最后来到一处很昏暗很潮湿的地方,如果不是前面有祭司举着火把领路,是很难看清楚前面的路的。

他们在黑暗中走了一会儿,来到一间大屋子里。泰山忽然闻到空气中有狮子的气味,而且味道还比较浓。他感到非常诧异。当他跨进门口的时候,前面的火把齐刷刷地熄灭了。这时泰山只听到周围骚乱起来,有光脚在石板上奔跑的声音,接着,他觉得自己被推进了一个什么地方,然后一声巨响,好像有一块大石头落在地面上了。泰山看看四周,到处漆黑一片,好像自己被推进了一座坟墓。

十九
丛林里的狄安娜*

琴恩第一次打到了一头野兽,她高兴极了。虽然她用长矛戳死的只不过是一只野兔,但是她所用的武器毕竟是自己亲手制造的啊!这长矛既然能够戳死野兔,当然也能戳死别的野兽。她能在丛林里独自生活了,这使她对未来充满信心。从此以后,她可以不必专靠吃野果野菜生活了。她可以有肉吃,她能随时随地凭自己的力量打猎,难道这不是很大的胜利吗?打到野兽之后,下一步她就需要火了。她跟泰山不一样,她不能吃生肉,一定要烤熟了才吃。

她沉吟一会儿,思考怎样才能把火生着。她小时候从父亲那里学到过很多科学知识,现在终于想起了一个方法。她跳到树上,从储藏琉璃石的树洞里找出一块琉璃石,就是像放大镜一样两面凸出的那一种。她想用太阳光聚焦的办法来生火。她从树上跳下来,收集了一堆枯叶和树枝,另外又收集一些枯枝放在旁边备用。

琴恩拿着琉璃石对准太阳,聚准了焦点,并且缓慢地移动

---

① 狄安娜是罗马神话中的狩猎女神。

着。她耐心地做了很久,真慢啊!这些枯叶也许不是太干,所以不像纸张那样容易点燃。过了好久的工夫,才从一小块地方冒出一缕轻烟。接着,这地方的枝叶开始发出爆裂声。琴恩高兴极了,急忙取旁边备用的树枝添上去,终于有火了!

火渐渐地旺了,那些枝叶燃烧着,爆裂的声音更响了。她觉得非常好听,她已经有好几个月没听到烧木材的声音啦!她焦急地等到火烧完,用暗火烤她的野兔。她剥去兔皮,把内脏掏净,把兔皮和内脏合在一起埋入泥土中。这个知识,是她从泰山那儿学来的。这样做有两个好处:第一是防止它腐烂,成为疾病的来源;第二是除掉野兔的气味,免得把其他食肉动物引来。

琴恩把兔子烤熟之后,为了安全起见,又跳到树上去慢慢地享用兔肉。琴恩有很长时间没有尝到这么鲜的味道了。她边吃着兔肉,边觉得这种安全感和愉快感是自从她和奥伯葛茨放完最后一颗子弹之后再没有过的。

那是她永远不会忘记的一天,记得好像有许多野兽追赶着她和奥伯葛茨。那时,他们到这可怕的地方还不久,他们感觉到,处在这种地界里,四面八方随时都会有危险,实在是防不胜防。但是今天——安全感是这样扎扎实实地在她身边。想到这里,她愉快地耸了耸肩。接着,她不由得又回忆到那可怕的一天——她在胆战心惊中,用来复枪射死了一头狮子,救了奥伯葛茨的命。那时,奥伯葛茨的子弹已经用完了,她手里也只剩这最后一颗子弹。于是他们背着空枪,又走了一些路,后来觉得没有子弹的空枪反而是个累赘,于是□下了来复枪和子弹带。

后来,他们就碰到了荷丹族人。奥伯葛茨幸运地逃脱,琴恩却被活捉了。她一直在猜想，奥伯葛茨中尉如果没能逃到山谷边，他恐怕也会死，因为他手里没有武器了。而山谷中有许多凶猛的野兽，他未必能逃得过。

琴恩从荷丹族里逃出来之前，一直生活在苦难之中，总觉得度日如年。而现在，她是无拘无束的自由人，心里在筹划着今后如何生活得更安全的种种事情，所以觉得光阴过得很快。她认为这地方可以暂时住下来，吃喝是不用愁的。于是她想方设法继续制造武器，以作打猎和自卫之用。

她觉得仅有一支长矛是绝对不够用的，至少还得有一把刀、一张弓和一些箭。她打算把这些武器都尽可能制造齐，然后再探路到距离文明社会最近的地方去。她想，这个过程一定不会太短，因此需要建造一间房子，哪怕是很简陋的一间。她要用它来躲避野兽的攻击，遮风避雨，夜间睡在小屋里面总比在树杈上安全。

琴恩决心盖一间小房子，所以白天除了寻找食物，还逐日砍些木棒。她把木棒架在两根树枝上，做成地板。捆扎用的绳子，仍是那种有韧性的草绳。好在河边这种草多得很，足够她取用的。随后她又逐渐造起了墙壁和屋顶。在屋顶上还铺上了大树叶，因为木棒之间是有缝隙的，铺上树叶才能更好地蔽风雨。她做了门和窗子。两个窗子比较大，那扇门却很小，她必须伏着身子爬进去。为了造这间屋子，她费了不少时间，现在的她，对于工作快慢，费多少时间倒是不大在乎。

小屋建成的那一晚，她睡在里面觉得非常安全。她心里有无限欣喜，尽情品尝着自己劳动成果带来的快乐。她在小屋里虽然也能听到野兽咆哮，但好像隔得很远，不像露宿的时候那么可怕。这一晚她睡得十分香甜，是这几个月来从没有过的。

开始，琴恩只敢在居住地附近打猎，现在，她渐渐敢往远一点的地方走了。她希望能猎到一头羚羊，因为烤羊肉的味道很鲜美，羊肠子还是造弓弦的好材料。此外，羊皮更是大有用处，当雨季到来的时候，天气会变冷，羊皮可以保暖。

有一天，她又来到羚羊经常饮水的河边，准备碰运气，看能不能打到一头。等了一会儿，果然有一头雄羚羊来喝水了。羚羊是警惕性很高的动物，她怕惊动了它，便伏在地上轻轻爬过去。爬到比较靠近羚羊的地方，她就立刻躲在灌木丛后面。但她要投掷长矛，必须站起身来。这时她使用了女子所特有的轻缓动作，丝毫不出声音地站起身来。她成功了！羚羊没有发觉她。她又用尽力气把长矛投掷出去，居然一下就刺中了羚羊。它跳了一下，跳得很高，接着就倒在河边死了。琴恩见自己一矛刺中了羚羊，便飞奔过去拣死羚羊，同时，也要收回自己的宝贝长矛。

"啊！真棒！"突然，一个男子操着英语喝了一声彩，声音是从对岸的灌木丛中传来的。琴恩大吃一惊。接着，一个外形很粗鲁的男人从灌木丛里钻出来。起初琴恩没有认出来他是谁，等到她看清楚时，竟吃惊得直往后退，并大声叫起来：

"奥伯葛茨中尉！真的是你吗？"

这个德国中尉说："正是我啊！我是奥伯葛茨，我虽然变了样，我仍旧是奥伯葛茨。你看！你不也大变样了吗？你看看自己，不是吗？"

他凝视着琴恩裸露的四肢，黄金的胸镜，用狮皮做的衣服，身上还有好些荷丹族女人戴的稀奇古怪的装饰品。这些东西是从前鹿顿想讨好琴恩,陆陆续续送给她的。这样的打扮,在阿卢尔城里是很难找到的,只有戈坦的女儿欧拉公主才会这样。

琴恩问奥伯葛茨:"怎么?你怎么会还在这里?我原以为,只要你还活着,肯定回到文明社会了,怎么你还没走出这危险地区呢?"

奥伯葛茨中尉叹了一口气,答道:"说来话长,连我自己也不知道是怎么活过来的。我曾向上帝祷告,让我早点死,好早日脱离苦海,哪知怎么祷告还是没能死。我沦落在这种可怕的地方,活着有什么快乐?我真盼着死神光临。我曾经绕着这块荒地整整走了一大圈,怎么也没找到走出去的路,我真不知道当初是怎么走进来的!这个地方真不是人活的地方,只能让野兽生存。在这么长时间里,野兽在日夜不停地侵袭我,这日子真难熬呀!"

琴恩又问:"那么,你是怎样一次次地逃过来的呢?"

奥伯葛茨非常沮丧地说:"我自己也真的说不清楚。我总是不停地在逃,像个越狱的囚犯一样,过了今天,不知道还有没有明天。有时候躲在树上,忍饥挨饿好几天,饿极了的时候,连树叶都吃过。子弹都用完了,我只能用这个地方最流行的短棒和长矛,这两种武器我都学会使用了。我拼起命来的时候,曾经用短棒打死过一头狮子。实际上,我和狮子斗,力量悬殊得很,就好像老鼠跟猫斗一样。真可怜,我在这种环境里,还比不上一只老鼠!"奥伯葛茨说到这里,停了一下,看了看琴恩,又说,"你看!这半天我尽说我自己了,你也说说你的遭遇吧!分手之后,你是怎么过来的?现在我们居然都还活着,彼此一定都感到很惊异吧?"

琴恩把自己过去的经历简要地说了说。她心中暗暗盘算，这次意外重逢，她要拒绝和奥伯葛茨合作。她觉得有这么个人在身边，还不如自己一个人生活得好。没有他，自己反而安全得多。过去她和奥伯葛茨相处过好几个月，对他的为人，当然有所了解。现在，他站在她面前，琴恩对他一点也没有信赖感，倒存着警惕心。

她抬起头来，偶然看着奥伯葛茨的眼睛，她从这双已带有野人气的眼睛中，看出了一种不顾一切的贪欲。琴恩明白这个一半已经变成野兽的人在想什么，所以对奥伯葛茨更害怕了。

奥伯葛茨问她："你在阿卢尔城里住了很久吗？"他说这话时，用的是帕鹿顿方言。

琴恩问他："你也学会了这里的话？你是怎么学会的？"

奥伯葛茨说："我也曾经流落到半开化的民族中去，这些民族住在四面环山的山谷中。这个民族叫作华荷丹族（即华丹族与荷丹族的混血种），他们一半住在半山腰凿成的洞里，一半住在山脚下土石混杂的洞里。他们这种民族很无知，都十分相信鬼神。他们第一次看见我的时候，见我没有尾巴，手指、脚趾又跟他们不一样，都非常怕我，疑心我不是神就是鬼。我当时大着胆子，将计就计，跟他们装神弄鬼一番，没想到这场恶作剧还真骗住了他们。他们对我又敬仰又惧怕，就领我到一座叫布卢尔（即月亮城）的城里，对我很优待，给我吃的东西，对我也非常好。后来我就跟着他们学说话。那时，我经常跟他们装神弄鬼，他们真的相信我是神了，以为我会法术。我每次作戏，几乎都收到了效果。后来，倒霉事来了，那个城中有一个老祭司，除了掌管祭祀，还会看病，他对我有这样的威望很不满意，于是就设计陷害我。他对他们城里的人说，假如这个人真是神，用刀刺在他身上一定不会流血，如果流血，那就是冒充的。他们就设计要在我身上做这个试验，我自己并不知道这个事。有一天晚上，我参加他们的狂欢会，我一点儿也不知道他们准备在晚宴上测验我。幸亏在他们动手之前，有一个女人泄露了这个秘密，其实她也不是好意，因为她对这个试验等不及了，就急不可待地打算先用刀刺我，看会不会出血。她握着刀来到我身边，刚要动手的时候，幸好被我发觉了。我问她为什么要这样做，她才说了实话。那时武士们已喝得半醉，离拿我做试验的时间也不远了。我知道一做这个试验，非得露出马脚不可，那我准得没命。于是我就装作大怒的样子，恫吓那个女人说，他们假如要侮辱我，我一定饶不了他们，将降祸于整个民族。为了能脱身，我又对她说，他们既然这样对待我，我决定离开这里，回天上去。她当时好奇地想看我怎么上天，我又告诉她，我要上天时，会有一道火光，看见这道火光的人，眼睛会被烧瞎的。她必须走开，至少过一个小时才可以再回到原处来。我还进一步恫吓她，不论任何人，如果在一小时之内到这里来，不但这个人的眼睛要瞎，而且全城都会变成一片焦土，那女人信以为真，立即就走开了。我趁这个机会才算脱了身。你看多危险，如果他们聪明一点，我就小命难保，恐怕我的尸骨也就烂在布卢尔城里了。"

他说到这里，不禁狂笑起来。他的狂笑声使琴恩很害怕，不禁颤抖了一下。

奥伯葛茨对琴恩滔滔不绝地谈着往事，琴恩边听着，边从羚羊身上抽回了长矛,并且忙着剥羊皮。奥伯葛茨并不过来帮助她,只是站在旁边看,还用手指不住地摸摸胡须,抓抓头发。他的脸上和身上都很脏,半裸着身体,腰里围着一块狮子皮。他所带的武器是华丹人常用的短棍和猎刀,琴恩猜想,这大概是他从布卢尔城偷来的。

琴恩对他的穿戴和武器都不太在意,只是他那嘎嘎的狂野的笑声非常刺耳,一点儿也不像一个有教养的文明人发出来的,而且琴恩总觉得他的眼中有一种怪异的神色。她虽然发觉了这些,但她依然很镇定地剥着羊皮,再把需要的部分割下来,等这一切都做完了,才站起身来,对奥伯葛茨说:"中尉,这次我们能再见面,真是料想不到的事。我觉得你也会这样想的。按理说,我们都处在这种荒野的地方,应该互相帮助,共同度过这艰难的日子,将来能早一天回到文明社会去。但我心里不想留你,不想跟你在一块儿。你快走吧!这一片地方,是我独自努力开拓出来的,我有理由独自享受。这一片荒野里,有的是地方,你自己去找安身之处吧!"

奥伯葛茨狡猾的眼睛盯着琴恩,过了一会儿,又是一阵嘎嘎的狂笑声,并高声说:"走?让你一个人留在这里吗?不!我总算找到你了,在这种地方,我们应该成为好朋友。这里再没有第三个人了,谁也不会知道我们在这里做什么。怎么?你居然要赶我走?难道就留你一个人,住在这荒野里吗?"说完,他又是一阵可怕的狂笑。其实他笑的时候,脸上并没有笑容,只是发出一阵像笑的声音罢了,琴恩觉得这实在太可怕了。

琴恩板起脸来很郑重地说:"你必须答应我的要求!"

奥伯葛茨说:"答应!答应!我答应你什么?不!我决不走,我要在这里保护你。"

琴恩语气十分坚决地说:"我用不着你保护。你刚才不是看见了吗?我会用长矛,我能打猎养活自己。"

奥伯葛茨固执地说:"我绝不能让你单独留在这里,因为你是一个女人。不,不!我现在已经不是一个德国皇室的军官,没有什么纪律能约束我了。我决不放弃你!"他说完这话,又狂笑起来,然后接着说:"我和你在一块儿,不是很快乐吗?"

琴恩见他这样无礼纠缠,十分气恼,但是又拿他没有办法,气得一时说不出话来。

奥伯葛茨又问:"你不喜欢我吗?啊!好吧!我们住在一起,你早晚有一天会爱我的。"他说完,又是一阵笑声,像是一种不祥的鸟叫。

琴恩把羊肉包好扛在肩上。她手握长矛,严肃地吩咐奥伯葛茨:"你走吧!别再多说废话!这里是我的领土,我有权利享有它。假如再让我看到你在这里,我会杀死你的!懂吗?"

奥伯葛茨忽然露出怒容,举起短棍,要朝琴恩打过来。

琴恩也满面怒容,高声喝道:"住手!"她立刻举起长矛,做出要投掷的样子,说,"你刚才不是看见我杀羚羊了吗?你也说,这里没有第三个人,我杀了你也没人知道。奥伯葛茨中尉!何去何从,你好好掂量掂量吧!"

奥伯葛茨慢慢将短棍放下,带着恳求的声音说:"爵士夫人!让我们做个朋友吧!我们彼此互助,我保证决不伤害你,像我当初发过的誓一样。"

琴恩冷笑一声，说："不用再多费唇舌，我要走了。你不要跟着我来，你必须远远地离开这里，向任何一个方向走都可以。假如再让我看见你，我一定杀死你，我这个人一向是说话算话的，你要好好记住这句话。"

奥伯葛茨见琴恩如此坚决，一时无话可答，只得呆呆地站在那里，目送着她走上小道。一会儿，她便消失在树林里了。

二十
夜色深沉

在阿卢尔城里,幸运一会儿降临到王室一边,一会儿又降临到庙宇一边。忠诚于戈坦的武士们由泰山带领着,来到王宫大门下的秘密通道入口。就在这个地方,他们受祭司哄骗,临阵倒戈。

祭司们见武士们来势汹汹,觉得凭他们的力量抵抗不住,于是索性不动,向对方展开宣传攻势:他们说这一切变故,都是约东一个人制造出来的。总祭司鹿顿并没有什么个人企图,只是想阻止约东篡位。而鹿顿主张在这个时候应该按照荷丹族一贯的法律,另推选一个合理合法的新王。

祭司们这种宣传使得一部分意志不坚定的武士认为祭司的话有道理,就附和了他们。但是也有另一部分武士始终忠心于王室,仍旧不肯和祭司们善罢甘休。那些不坚定的武士接受了祭司的煽动,两边意见不合,自然爆发起一场战争,结果双方各有死伤。

忠于王室的武士冲出重围,跑去向约东报告了事情的详细经过。这时,战争已不限于大宴会厅里,而是扩展到王宫的各个地方了。

打到最后,反对约东的那一部分武士失败了,鹿顿的部下退到庙宇中。于是在王宫和庙宇之间，形成了两个对峙的营垒。王宫这方面以约东为首，庙宇一方则以鹿顿为首。

约东得到报告，知道欧拉公主的住处也发生了变故，泰山曾经引导武士援助了他。约东很感激泰山，友谊又增进了一步。但有一点约东很后悔，就是没能在战乱的时候留住泰山，而让他离开了阿卢尔城。

约东从欧拉公主和潘纳特丽口中得知，泰山也到过花园，如果泰山不来，连欧拉公主也会被劫持。约东手下的武士们更加确信泰山是真神的儿子，不然为什么危难之处总有他在呢？而鹿顿老想与泰山作对，他早晚要受到惩罚。有泰山来惩罚鹿顿，那么，鹿顿手下的军队必崩溃无疑，最后的胜利一定属于约东，因此他们希望泰山赶快回来。这时如果泰山能够回来，约东一定会大获全胜。

但不幸的是，泰山始终没有回来，使约东这方面的士气又低落了不少。他们以为真神的儿子不肯帮助他们了，也许是因为他们所做的事不正确。再加上鹿顿派人制造挑拨性的流言，约东的势力削弱了不少。最后，两方面又大战一次，约东大败，只好退走。鹿顿占据王宫，他由总祭司一跃成为统治帕鹿顿的新王。

约东在临撤退的时候，带上了公主、潘纳特丽等妇孺，还有那些对他忠贞不贰的武士。他们退出王宫逃出阿卢尔城，一直退到属于约东管辖的猡鹿。他又重新补充力量，征集了城北各地的武士们。这些人和阿卢尔城是完全没有关系的。许多年来，约东始终像他们的朋友一样，为他们排除纠纷，保护着他们的利益，所以他们都很敬重和服从他。这次约东有事，他们自然召之即来。

当约东在北方败走时，正是泰山被困在吐鲁城狮子洞里的时候。也是在这同一时候，莫撒和鹿顿之间正在谈判如何继承帕鹿顿王位。莫撒是个很奸猾的人，他早就看出他和总祭司之间必有分歧。他听不少武士和百姓说，王宫里打仗时，那个真神的儿子来过，在他带领下的武士总是打胜，后来不知他为什么走了。

鹿顿现在最需要的就是泰山。他想如果能把泰山逮住，用他的血去染那个东边的祭坛，当着他部下的面杀死泰山，不但报了仇，而且还显示出自己比泰山更有能力，这样自己的地位就会更加巩固。

吐鲁城的总祭司活捉泰山的方法，却给泰山留下了漏洞。原来在推泰山入洞时，他们没有来得及解除泰山的武装，让他把武器带在了身边。狮子洞里原来就有几件东西，如一个皮革制的袋子，袋子里装着许多造箭用的材料：一堆琉璃石、一束羽毛、几片打火石、两枚钢片、一把旧刀、一根粗骨针，还有几条干枯了的肠子。这些东西如果给一个普通人，可能什么用处都没有，可是到了在蛮荒中生活惯了的泰山手里，却都可以派上大用场。

泰山陷入狮子洞不一会儿，神志就镇定下来了。他想，设计谋害他的人手段也真高明，不知道这计划是哪个人想出来的。他从空气中闻到了狮子味，知道这洞里不久前关过狮子。现在洞里虽然没有狮子，但用不了多少时间，他们一定会弄一头进来。

泰山此时并不惊慌，他冷静地观察着四周，见窗子上都蒙着兽皮，便过去揭开，让光线透进来。只见这个狮子洞位于庙宇的下层，但比凿成庙宇的高山山脚却高出几英尺。窗口上竖着坚实的铁栅栏,防卫得很严密。远远望出去,那里有一个大湖,旁边还耸立着一座苍翠的高山。

如果在闲中欣赏,倒真是一幅美妙的天然图画:色彩鲜艳,环境幽静,湖光山色,真是美不胜收。泰山望着窗外,心里不禁暗暗叹惜:这么美的景色,却被野人和野兽统治着,这是多么可惜啊!

泰山转念又想到了更深的一层:那么,假如有一天,文明社会的人来到这里,就一定好吗?不!泰山可不这样认为。如果文明社会的人真来了,这些天然美景一定会遭到毁灭的!比如,苍翠的古树,会被斧头砍去;乌黑的浓烟从一些烟囱中冒上青天,使清新的空气变得混浊;轮渡开动在湖面上,使本来澄澈的湖水翻起泥沫,水面变成深褐色;而用钢铁建的码头,向湖中伸去……这样一来,天然的美景还会保存得下来吗?泰山这样想着,觉得文明人还是不要到这里来的好!因为泰山过去在文明社会见过很多这样的事,名为建设,实则毁坏了大自然的美景!

泰山借着从窗外透进来的光亮,打量着洞内。只见这个洞面积很大,两端各有一道门,一扇较大,大概是给人出入的;另一扇小门想必是给狮子用的。两扇门现在都关着。门是用石头做的,紧紧地压在地面上。还有两扇窗子,都用铁栏杆拦住,非常牢靠,还蒙上了兽皮。泰山一边观察,一边思考怎样才能逃出这个洞子。终于,他想到了一个方法。他可以用皮囊中提供给他的那把旧刀,去撬铁栅栏下的基石,只要基石一活动,铁栅栏就很容易脱落下来。不过,这个办法可是很费时间的,需要很强的体力和耐心。

泰山被关在洞里,每天都有人按时送来食物和清水。因此泰山估计他们现在还不会放狮子进来。他们不急于要泰山死,一定另有用意,但是他们到底要怎样呢?泰山却猜不出来。

有一天,潘撒特奉鹿顿的命令到吐鲁城来,他把鹿顿的一封信交给莫撒,说鹿顿已经同意莫撒为阿卢尔城的王,请莫撒同潘撒特一起到阿卢尔城来。

潘撒特把信交出来以后,要求到庙中去参观。他会见了吐鲁城的总祭司,说有话要跟总祭司讲。原来,他来的时候鹿顿就给了他特殊使命。两个人一见面,便躲进一间小屋,咬着耳朵在嘀咕些什么。

潘撒特低声说:"莫撒和鹿顿之间,存在着分歧呢!莫撒要做国王,鹿顿也要做国王;莫撒要保留真神儿子的命,鹿顿却一心要杀死他。现在,"他说到这里,把嘴紧贴在总祭司的耳朵上,"假若你想做阿卢尔城的总祭司,这都是你权限之内的事,就看你的了。"

潘撒特说到这里,故意留下一半不说,等着对方的回答。总祭司听出潘撒特是给自己出主意的,显得很感动。做阿卢尔城的总祭司,那简直就跟当阿卢尔的王一样荣光啊!如果他有这个权力,就可以送祭神的牺牲者上阿卢尔的祭坛了。

"你说,我到底该怎么做,才能当上阿卢尔的总祭司呢?"吐鲁的总祭司低声讨教道。

潘撒特又伏在他耳朵上说:"这还不容易吗?你只需杀掉一个,再押解另一个到阿卢尔城去就成了。"他说完这话,站起身来,马上走开了。他相信总祭司已经吞下递过去的诱饵。

潘撒特是鹿顿的心腹,当然完全明白鹿顿心里是怎么想的,但他对吐鲁城的总祭司交代的时候,却没有把话点透,没有明确说到底杀谁、押解谁。正因为如此,吐鲁的总祭司完全误解了,以为要他杀死泰山,押解莫撒到阿卢尔去。其实,这和潘撒特说的意思正好相反。

吐鲁的总祭司认为这两件事都很容易办到,他当阿卢尔城总祭司本来就是十拿九稳的。实际上他万没料到他若去阿卢尔城会遭遇到什么。他只要到那里,用不了一个小时就会死在阿卢尔城的祭司手里。他更想不到的是,就在他想去当阿卢尔城总祭司的时候,已经有人为他在那儿挖坟墓了。

吐鲁城的总祭司急于要办好潘撒特盼咐他办的两件事,等到天黑,他急忙派遣十二个武士,拿着火把到困住泰山的狮子洞去。

泰山坐在狮子洞里,正在用那把旧刀挖掘窗下的基石。忽然听到外边有脚步声走近来,而且是在大门这一边。他心里感觉到不对,食物和水都已经送过了,往日天黑以后是不会再有人来的,所以知道今晚一定有什么异常。他听听外面的脚步声也比较杂沓,而往日只有一个奴隶从小门方向来!那脚步声渐渐传到了门口,可门外的人却没有听见泰山撬石头的声音。他们由于害怕,在外边商议好一阵,才由两个武士推开石门,其他的武士从石门和地面的缝隙中向里面投掷长矛。他们根本不敢进去,因为他们心里都怕泰山。

他们从石门缝里漫无目标地乱扔长矛,听了一会儿,发现里面没有声音,以为泰山一定被戳死了。

他们把石门稍稍打大一点,十几个武士拿着短棍一齐跳进去,只见墙脚下有一黑影,有三个武士便把短棍扔向那黑影,却不见有什么动静。这时总祭司急忙打着火把进洞来一照,这一照之下他们丢下短棍,惊奇得大叫起来。原来那堆黑影不是泰山,而是他们原来挡窗户用的兽皮。

有一个武士还算冷静,赶快跑到窗前,只见一扇窗子铁栏杆只剩下一根了,有一根绳子还在铁栏杆上摇荡。仔细一看,才发现窗上系着的这根绳子,正是用兽皮割成细条接成的。

琴恩好不容易恢复自由,偏偏又遇见奥伯葛茨,这真是她的不幸。在她无拘无束的生活里,又凭空添了许多危险。这位中尉的神情和行动,的确让琴恩感到害怕。她想,他如果真能按照她的要求远远离开这里,自己倒能平静地生活。

这一天夜里,她依然睡在大树上的小屋中,但她提心吊胆,不敢熟睡。如总觉得奥伯葛茨如果真来,这小木屋可不足以抵御他。她就这样东想西想,怎么都不敢睡。后来,她实在乏了,正在似睡非睡之中时,忽然被一种声音惊醒了。

她发现好像有什么东西向树上爬来。她侧耳细听,几乎连呼吸都不敢。果真,木屋底下的树干上发出了声音,那声音停一阵,又响一阵。听!现在又响起来了,像是身体摩擦树干的声音。她心里知道今晚一定会发生什么事,于是伸手拿起了长矛。

她听着听着,觉得那东西在她门外摸索着什么。她大声地喝问,那东西偏不发出任何声音来。她握着长矛,轻轻爬到门口。她稍稍抬高点身子,在门上摸索着,恰好摸到一个约两寸宽的空隙。她把长矛头轻轻插到这个空隙里去。外面那东西似乎听见琴恩的声音了,暴怒地想打进门来。琴恩知道危险迫在眉睫,不能再迟延了,便用足力气,把长矛从空隙中刺了出去。

她觉得长矛正刺在那东西身上,只听到一声因疼痛而发出的喊声,接着,便听到一个沉重的身体从树上掉下去。琴恩手里的长矛也差一点被他带下去,幸而琴恩握得紧,长矛仍留在她的手中。

琴恩从喊叫的声音听出来,外面来的正是奥伯葛茨。掉下树之后,再没听到他的声音。琴恩想:他是不是被自己刺死了?她希望真的是这样。她在小屋里摸着胸口暗暗祷告,希望他死掉。因为她认为,只有他死了,自己才能够得到自由和平安。她侧耳细听,再没听到什么声音。她想,中尉一定被自己刺死了。她很害怕明天早晨亲手去埋葬一个德国人的尸体!这是多么讨厌,又是多么恶心的事呀!

琴恩迷迷糊糊地睡了一会儿。夜色渐渐退去,阳光照亮了她的小木屋,可她还是不敢开门去看树下面。后来她想,迟早是躲不过的,自己不能老待在树上,于是她鼓足勇气,打开门向树下看了看。哪知道,树下只有荒草野花,根本没有什么死人!

她觉得有点奇怪,又非常仔细地向树的四周看了一圈,当她确信没有危险的时候,才慢慢爬下树来。等她来到树下,才发现树根旁边有一摊血,路边的草上也有点点滴滴的血迹。那血迹沿着一条路向前延伸着,和河岸形成了平行线。

这时琴恩才知道,奥伯葛茨并没有被自己刺死。她又急又气又害怕,因为她估计他把伤养好之后,是不会善罢甘休的,这倒给她平添了一块心病。

琴恩又转念一想，奥伯葛茨负伤后，也有可能逃走了，于是她循着血迹向前走去。但她只走了几步，就又站住了，假如找见了他，他又没有死，那自己该怎么办呢？难道再用长矛刺他一下，非把他刺死不可吗？她下不了这样的毒手。

她当然也不能把他救回来，放在小屋里调养。想到这里，她觉得如果找到他反而会处于两难的境地，于是索性不去找了。

这一天中，她心绪很乱，一听到什么声音，就心惊胆战，真有点风声鹤唳、草木皆兵的味道。在昨天没碰到奥伯葛茨之前，她的生活是很宁静的，今天可就大不一样了。她想，昨夜过得太紧张了，恐怕要过一两天才能恢复。但她今天又产生了一个想法，觉得最好还是离开这里。因为奥伯葛茨已经知道这棵树和这间小屋了，这里还将会是他进攻的目标。她亲手创造的这个安全小天地，今后将不会再安全了。

这一天晚上，琴恩在小木屋里仍戒备着，门也关得特别牢靠。她今晚很疲倦，因为昨夜几乎没睡。她虽然非常想睡，但还是不敢睡，在黑暗中大睁着眼睛。

她什么也看不见，但泪珠儿却不由自主地一串串落下来，因为此时在她脑际浮现的，是一座可爱的庄园。她以前的那个幸福的家就在这庄园里，可如今被德国人烧成焦土了。她深深记得丈夫那壮健的肩膀，现在却不知他在哪里，那副臂膀再不能来搂抱她保护她了。

她还想起自己高大英俊的儿子，现在差不多和他父亲一般高了。他那双勇敢而经常含笑的眼睛，跟他父亲一模一样。琴恩曾经多么喜欢那所庄园啊！泰山也喜欢那所庄园，在那里他们有过那么多快乐而幸福的日子,现在却都成了追忆。

　　她想着想着,实在支持不住,终于酣然入睡。忽然她又被惊醒,听见外面有声音,树上好像又有人在爬,而且她觉得树又摇晃起来。难道奥伯葛茨又来了吗?她觉得全身发冷,止不住浑身颤抖。啊!上帝啊!昨夜没有刺死他,他真的又来报复了吗?自己该怎么办才好?但她心里明白,害怕是没有用的,现在不可能有人来帮她,一切危险都需要她自己对付。

　　她竭力稳定情绪,爬到门边,伸出发抖的手,把长矛的尖头放入缝隙中。她心里在盼望,又会有一声疼痛的喊叫,接着是跌下树去的重重的一声。可是昨晚门外的人是没有防备的,那么今天呢?今天会和昨天一样吗?

二十一
装　疯

　　泰山在狮子洞里，原想撬开窗下的基石逃出去，后来听到大门外有杂沓的人声，他觉得这个方法太慢了，不如弄断铁栏杆来得爽快。当窗上只剩一根铁栏时，他试了试，已能容自己的身子钻出去了。他听了听门外，除了叽叽喳喳的说话声，别无动静。于是他抓起一块兽皮，用刀割成细条，又把它们结结实实地接在一起，把一端紧紧拴在特意留下的一根铁栏上。

　　当武士们抬起石门时，泰山早已钻出窗口，手握着皮绳，悠悠荡荡地溜到底下了。泰山看了看四周，觉得虽然从洞子里逃出来了，但还不能算完全脱离危险，因为他还在围墙之中，这围墙是包围整个王宫和庙宇的。

　　他仔细察看着，见有一条小道，他辨认出这里就是从王宫通往城门的道路。

　　这时外边已很黑暗，夜色中正便于泰山逃走。他必须经过王宫才能到达城里。他想，王宫门口有武士守卫着，自己怎样才能混过去呢？他想现在再去找祭司的面具也来不及了，只有装作落落大方的样子向前走，才有过去的可能，越是小心翼翼越会引起人的注意。于是，他就这样大踏步地从黑暗中走过，途中曾碰见了几个荷丹人,因为泰山从容不迫,所以没引起对方疑心。泰山一直走到王宫前,见那里有六个武士在守门,泰山仍旧大步往前走,哪知正在这紧要关头,却出了岔子。这时忽然从庙宇那边跑来一个武士,高声喊着:"城门口别放任何人过去!那个俘虏从狮子洞里逃出来了!"

立刻有一个守门的武士过来拦住泰山的去路。那个一边奔跑一边喊叫的人,一眼看见泰山,就说:"好极了,你还没跑出去。快捉住他!捉住他!你乖乖地跟我回去,免得我收拾你!"

另外几个武士也围过来,可是谁也不敢动手,因为莫撒的武士早就听说过泰山是个不好对付的敌手。他们只是和泰山保持着一定距离,比划着准备把手里的短棒打过来。

泰山到了帕鹿顿之后,也早知道这些武器的用法了。他知道帕鹿顿人的武器不外两种:一种是长矛,一种是短棒。这一带的人对长矛并不怎么重视,倒把短棒看成是无上的利器。因为他们有盾牌,可以抵挡长矛。而若用力掷出短棒,却不易抵御,因此他们都擅长投掷短棒,而且都出手有力。

泰山从前和欧马特、塔丹在一起的时候,也跟他们学过投掷短棒的方法,再加上泰山特有的眼力和体力,很快掌握了这种武器。可是他一向没有机会使用,今天可有机会试试身手了。可惜他自己手里没有短棒,他得想法从敌人手里夺取才成。

他略一沉吟,就想出了一个主意。他看准一个武士就走上前去,那些武士都怕泰山,不敢和他交手,便站在原地不动,大声叫喊着,意思是希望有人来援助他。泰山想,如果援兵真的陆续来到自己会寡不敌众。这时候,已经有两三个武士从泰山身后把短棒投掷过来。泰山一闪身躲过,伸手接住了一根短棒,并立即回手向他们掷去。他们也接住,又向泰山打来。正当几个人对打之时,泰山已经听到有往这边奔跑的脚步声了。他知道援兵已近,便不再耽搁,接住一根短棒后,对准一个武士掷去,那武士急忙闪身躲避,泰山趁这个机会冲到他身旁把他抓住。同时手里又接了第二根短棒,向另一个武士掷去。

那个被泰山抓住的武士正想伸手去抽腰刀,泰山见此,只用力一拧就把对方的手腕扳断了。泰山趁势把他高高举起来,当做盾牌来用。周围的武士见泰山用出狠劲来了,都急忙往一旁闪避。

泰山身边的一个武士正拿着一支火把,这是城门唯一的照明用具。这时,增援的武士渐渐冲过来,泰山举起自己手上的那个武士向跑在最前边的一个人扔过去。那个援兵被扔过来的武士撞倒,他身后的武士没有一点准备,于是像多米诺骨牌一样倒下一串。泰山趁这时伸手把火把夺过来掷到前面几个武士身上,火把熄灭了,王宫前马上一片漆黑,被烫伤的几个武士在那里痛得叫喊。

泰山趁着黑暗逃出王宫,一会儿就到了吐鲁城街道。

他听见有追兵的声音,可是他们追错了方向。泰山跑出吐鲁城,往西北走去,直奔阿卢尔城。

泰山知道前面有个湖,他想,如果偷一只船从水上划过去,倒不如在陆地上走路方便。他现在必须要多赶些路,离吐鲁城越远越好。他知道莫撒一定不会放过他。

他奔跑了一阵,离城大约有一两英里了。这里有一片树林,泰山见了树林,觉得像回到了家一样安全,从小他就熟悉丛林啊!进了树林,他精神振奋起来,深深吸了一口新鲜空气,一阵阵野花草的香味沁入他的心脾。泰山索性纵身跳上树去,这样他不但能走得更快,而且他也乐于这样活动活动,重温一下他的丛林生活。他在黑暗中的树上行走,像一般人白天在平地上一样自如。

远处传来狮吼猿啼,他非常熟悉这些声音,像听丛林音乐一样。泰山一到丛林里,简直就是如鱼得水,绝不会有一点点孤寂之感的。

泰山在树上轻轻松松地走了一段路后,遇上一条河,于是他从树上跳下来游到对岸。忽然,他猛地一下站住了,一动都不动,像一尊雕像一样。他几乎发狂地向四周嗅着,捕捉他要寻找的气味的来源。

这是他多么熟悉又多么亲切的气味啊!几个月来,他连做梦都想找到这个气味!现在他闻到了,一缕一缕,似乎就在不远的地方。他嗅着嗅着,忽然找到了方向,就往前飞跑而去。

他十分兴奋,不顾一切地向前奔去,像有什么神圣的使命在召唤他去完成。他像赛跑一样飞奔到一棵大树下,抬头一看,在枝叶间有一个黑影。他悲喜交集地哽咽起来。纵身一跳,他来到了树枝上。这时,他的心跳得非常厉害,如果问他现在是什么心情,恐怕连他自己也说不出来。

他爬到一定的高度,才看清楚那黑影原来是一间小木屋。泰山在外面静静地听着,觉得里面什么都没有。他闻着那气味,和一里外在河边时闻到的完全一样,只是比刚才更浓了。他急不可待地跳到贴近木屋小门的树枝上去。

泰山高声喊道:"琴恩!比我生命更宝贵的人啊!我是人猿泰山,我在这里!"

他喊了两声,听不到里面有回答的声音,只听见里面有急促的呼吸声,像在喘息,又像在叹气。接着,泰山就听见里面传出很沉重的声音。泰山着急起来,用力一推,把小门推开,俯身爬了进去。在黑暗中,他锐利的眼睛仍能看清他久别的妻子直挺挺地昏倒在地上。泰山连忙把她抱在怀里,用耳朵伏在她的胸前听了听,发现仍有心跳声。他知道她只是昏了过去,估计她一定受到了强烈刺激。

当琴恩醒过来的时候,她只觉得自己被两条强壮的手臂搂抱着,她的头正倚在这个人宽阔的肩膀上。她还没有力量抬起头来去看,只抬起颤抖的手摸了摸对方的额头,便已经明白自己倚在谁的怀里了。她好像做梦一样,喃喃地说:"约翰!是你吗?真的是你吗?"

他把她搂得更紧了,说:"是我。"过了一会儿,他又哽咽着说,"亲爱的!我不知有多少话要跟你说,可是我的嗓子好像被什么东西堵住了,几乎讲不出话来。"

琴恩觉得很幸福,全身心都融化在幸福里,她微笑着紧贴在他的胸口上,低声说:"上帝真的保佑我们啊!我的人猿泰山!"

他俩就这样沉默了好久。彼此都知道了对方还活着,平安地活着,仅此一点,就足够使他们全身心地沉浸在幸福里了。

后来,他俩就一直说呀说呀,怎么也说不完,一直到太阳都高高地升起了,他们都还没有说完。二人都倾诉着这几个月来分手后所经历的种种苦难,交换着提问,交换着回答,一个细节也不想漏掉，这一夜的时间自然不够他们用的了。

琴恩像忽然想起了非常重要的事，问道："咱们的杰克如今在哪里？"

泰山说："我也说不准，我记得最后一次得到他的消息时，说他在阿尔贡前线①。"

琴恩说："我们还没有完全恢复以前的幸福，我们一家三口，毕竟还没有团聚啊！"她话音中含着悲凉。

泰山说："是呀！这不止是咱一家，在战争年代，兵荒马乱，多少英国人都家破人亡啦！我们两个人经历了无数次磨难，现在能够团聚在一起，已经是不幸中的大幸了。我相信我们的儿子杰克也会平安回来的，他身上有我们的遗传基因，他有足够的机智和勇气，他会平安回来的。"

琴恩轻轻地摇摇头，说："你说的虽然有道理，可我这个做母亲的非要儿子站到我跟前才能真正放心呀！"

泰山说："我当然也希望能这样。我们还可以慢慢找他，我最后一次听到有关他的消息时，他很安全，没有受伤。"停了一会儿，泰山又说，"咱俩目前最要紧的是设法一同回老家去。对了，我还没跟你商量，你是愿意重建庄园，把残留的瓦齐里人再召集回来呢，还是回伦敦去？"

琴恩说："我流离出来之后，经常怀念的仍是咱们的非洲庄园，而不是伦敦的家。但是，约翰！我们只能在梦境中回那里去了，奥伯葛茨告诉我，没有路可以穿过沼泽。"

----

① 阿尔贡前线，指法德边境的阿尔贡森林，位于法国东北部，第一次世界大战时，英法联军曾与德奥军队激战于此。

人猿泰山·团圆奇遇　　215

泰山笑道："我可不是奥伯葛茨，自然会有办法出去的。我们今天休息一天，明天我们就寻找道路往北走，那里虽然是一片荒漠，但我们既然能进得来，当然也能出得去。"

第二天早晨，泰山和琴恩一同启程往北走，琴恩有了泰山的保护，自然方便多了。两个人相互扶持着越过山谷，一路上见到的，都是野人和野兽的洞窟，所经过的都是帕鹿顿的高山。高山背后是一片很大的沼泽地，而且满地都是可怕的爬虫类。这一切当然都难不倒泰山。

泰山帮着琴恩，共同渡过了难关。这一路上，他们既要躲避野人和野兽的袭击，还须穿行杳无人迹的地方，不知要经过多少艰难险阻，才能回到他们非洲的原住地。

奥伯葛茨中尉被琴恩的长矛刺伤之后，流着血从树上跌下来，他无法直立行走，只有爬着往前逃。他被刺中时痛得喊了一声，以后怕琴恩追赶，就没敢再出声。他爬到一处浓密的草丛中躲起来，他甚至以为自己要死了，但是他并没死。第二天，他感到自己伤势很严重。白天能看清楚时，他才知道琴恩的长矛刺中了他右腋，虽然很疼，看来还不至于丧命。他想，自己藏身的地方离琴恩住的那棵树太近，万一被她发现，那可是非常危险的。于是他又继续爬行，心里在盘算着怎样报复琴恩。

他咬着牙想，等自己的伤好了，一定也要让她尝尝受伤的滋味。过去是自己救了她，现在她反而恩将仇报了，等着吧！早晚也要让这个英国女俘虏尝点痛苦的滋味！迟早有一天，我奥伯葛茨要洗雪这个耻辱！他又转念一想，自己既然要报复她，那又何必逃到太远的地方去呢？既要考虑目前的安全，又要想着将来的报复,到底该怎么做呢?他想,现在不如暂时躲避在附近,等伤好了,不用走多远的路就能回来报仇。他想,有朝一日,一定要用自己的双手掐住她的喉咙,把她的生命挤出躯壳。

他越想越得意,竟纵声大笑起来,这笑声非常难听,如果让琴恩听见,一定会把她吓个半死。他爬着爬着,觉得膝盖的皮被磨破了,不但右腋疼,两个膝盖也疼起来。他低头看了看,发现伤口仍在流血。他回头向远处望去,阳光之下,并没有人来追他。他侧耳静静地听着,也没有听见有人追来的声音。于是他站起身来,试着往前走,这样,膝盖至少可以不那么疼痛了。这时他才发觉,自己的身上污秽得不成样子了。他满身都是血和泥,头发乱得像一蓬乱草一样,还粘着许多草屑和泥块。

这时他才觉得肚子饿了,便随手摘些野果和硬壳果,又挖了些植物的根填饱了肚子!他本来是沿着河岸走的,吃了一阵之后,觉得渴了,就爬到河边去用手掬水喝。正在喝水时,忽然听到有狮子的吼声。吓得他赶快爬上一棵树去,身子抖个不停。

后来他听到没有狮子声了,就一步一步来到湖边。在这里他望见了白色的阿卢尔城,于是想起了华荷丹人,他们都曾经管自己叫真神。于是他又狂笑起来,然后在岸边走来走去,像在发命令一样地高叫着:"我是真神!我是最高的大神!在阿卢尔城里,有我的庙宇,也有我的总祭司。你们为什么不迎接我进城去?为什么让一个真神留在丛林里呢?"

他边喊边向水里走去,同时又对着阿卢尔城高喊:"我是真神!信奉我的奴隶们快来!把你们的真神接到庙中去供奉呀!"

没有人听见他的喊声。他疯疯癫癫地向河里走去,用手打水捉鱼,闹腾得挺厉害。忽然他看见不远处有一条独木船,又不禁狂笑起来。他走过去看了看,不但有一条船,而且还有两支桨。他爬上船去,却把两支桨扔了。他呆呆地发了一会儿愣,便坐在船上用手划水。看着水花飞溅,听着水的声音,他似乎很高兴。

他用两手交换着撩水洗他的手臂,一会儿就露出了皮肤原来的白色。他觉得这样很有趣,就撩着水,把全身的血渍和污泥一齐洗干净了。他这样做,并不是有意要洗澡,只是觉得这样好玩罢了。搓洗了一阵之后,他又高兴地大喊起来:"看哪!你们看见了吗?我的身体又恢复白色了!"

他低头看看自己的身体,又抬头望望阳光照耀着的乳白色的阿卢尔城,不禁又高声大喊起来:"阿卢尔不就是光明的意思吗?阿卢尔城就是光明的城!"

他又想起了布卢尔城中的华荷丹人,那里的人都管他叫真神,想起这些,他又忘乎所以地喊道:"我是真神!你们听到了没有?"

他看看独木船,又看看水,脑子里忽然产生了另一个念头。由于自己撩水洗身上时没把围在腰里的狮子皮解下来,所以狮皮被水打湿,沾上了一些污渍。这样一来,身上更显得污浊不堪。他索性把狮皮解下来,往水里一扔,像在发什么宣言一样地大声说:"真神是不穿脏衣服的!真神本可以不穿衣服,只需把鲜花和草披在圣体上。我是真神!我是最高的大神!我要以洁白的身体回我的阿卢尔城去!"

他抓抓头发,又抓抓胡须,然后摇了摇头,想把头上的水抖下去。现在,他虽然行动上依然是疯疯癫癫的,可他脑子里似乎清醒一些了。他下船走到岸上去,采了许多野花和凤尾草,乱七八糟地插在头发上。他又抓起一把翠绿的凤尾草夹在耳朵上。如果从远处望去,这位过去威风凛凛的德国中尉,现在倒像是戴了一顶花冠的女人。

打扮完之后,奥伯葛茨又上了独木船,任船漂流。他站在船中间,当船漂到中流的时候,他把两手交叉在胸前,摆出一副很神圣的样子,向着阿卢尔城破着嗓子高喊起来:"我是真神!阿卢尔城的祭司们!快来迎接我进城!"

突然刮起了大风,独木船随着风浪颠簸,在湖里东冲西撞,忽而向着阿卢尔城前进,忽而又背着阿卢尔城驶去。奥伯葛茨只好不管小船,自顾自地喊叫着。这时,王宫的城墙上已经有人注意到他了。武士、女人、孩子都好奇地奔上城墙来看他。在庙宇的墙上,也同样有一群祭司们在看他,鹿顿也在祭司群中。当船飘飘荡荡靠近城墙时,他们听清了他喊的话。鹿顿狡猾的双眼不觉眯了起来,心里在盘算起什么来。

他知道泰山逃出城去了,深恐泰山和约东联合在一起,共同对付自己。他也知道城中有不少武士还在迷信泰山这个"真神的儿子",如果这几股力量加在一起,是很容易破坏自己的计划的。现在又有个真神送上门来,看来也是个假货,何不利用他一下呢?这时奥伯葛茨的独木船在湖里随风飘荡,渐渐靠近城墙。祭司们都看看鹿顿,等着他的吩咐,鹿顿下令说:"捉住他!如果他真是真神,我会认出他来的。"

祭司于是奔到王宫里,向武士传令:"快去!总祭司鹿顿命令把那汉子捉住,假如他是真神,总祭司会认识他的。"

不一会儿,奥伯葛茨就被他们捉住带进了阿卢尔城。鹿顿把他仔细打量了一番,觉得这位真神远不如泰山那么气宇轩昂,就高声问他:"你是从哪里来的?"

奥伯葛茨说:"我是真神!是从天上来的。我的总祭司在哪里?"

鹿顿说:"我就是总祭司。"

奥伯葛茨拍着手说:"那好极了,快给我洗脚!再给我拿点食物来!"

鹿顿的眼睛眯成一条细缝,然后把头低下去,看了看□伯葛茨的脚。其实,他是故意在祭司和武士们面前做出这副神态的,接着,他抬起一只手,大声吩咐道:"啊!奴隶们,快给真神拿水和食物来。"

有了鹿顿这句话,奥伯葛茨在阿卢尔城人面前就取得了真神这块牌匾。没过多长时间,这件事就传遍了整个王宫和整个阿卢尔城,甚至阿卢尔城和吐鲁城中间的各个村庄也都知道这件事了。

接着,又有消息说这位真神和过去来的那位真神的儿子不一样,他非常赞成鹿顿的主张,宣称应该由莫撒继承王位。但是,莫撒本人却迟迟不动。他认为与其到阿卢尔城去当王,还不如在吐鲁城当酋长。而鹿顿却接二连三地邀请他,请他火速到阿卢尔城来。鹿顿的目的,只是想让莫撒当个傀儡,并不打算把他杀死。但是这时候,到处都有流言在传播,说约东在北方召集了大批军队,准备攻打阿卢尔城。

奥伯葛茨被全城尊为真神,心里暗暗高兴,他更加装疯卖傻起来,常常用非常残忍的手段虐待鹿顿派来服侍他的两名奴隶。鹿顿也是个残忍的家伙,在这一点上,两个人倒是臭味相投。总祭司想利用他真神的名义提高自己的威信,于是在庙宇的东祭坛上特设了一个真神的座位,每当太阳将落的时候,必杀一个人来祭祀真神。

奥伯葛茨一点儿也不推辞,公然坐在那里受这种供奉,眼看着一个个活生生的人被杀掉,他丝毫不动怜悯之情。有时他嫌光看不过瘾,还亲自动手去杀那个人,因此,他倒给自己树立了威风。不论祭司还是城里居民,见了他都有点害怕。假如奥伯葛茨不装疯使出残忍手段来,全城的人决不会这样敬畏他。现在连小孩都惧怕真神,一看见他来,老远就跑开了,奥伯葛茨倒以此为荣。

鹿顿见时机成熟了,就利用祭司和奴隶们到阿卢尔城里到处去散布,说真神已经吩咐过了,如果有人敢于违抗总祭司,真神一定要在他身上降灾祸。鹿顿还说,约束和那个冒充真神的儿子的家伙,将来必会受到更为严厉的惩罚。惩罚的办法就是:让那些不敬真神的人备尝各种痛苦,然后让他在极度的痛苦中死亡。谁听了这话都毛骨悚然。

鹿顿如此吓唬人,还真取得了效果,不知有多少人被他愚弄了。他们在鹿顿面前唯命是从,表现得十分虔诚,这正是鹿顿想要的。

二十二
在格雷夫背上的旅行

泰山和琴恩沿着金湖岸边向前走去。在途中还穿过了一条河。泰山终于找到自己的妻子,所以感到很舒心。他相信从此再不会有导致他俩分开的事了。但是,他们怎样才能走过那一片大沼泽地呢?这可是泰山要考虑的问题。不过,这只好到了时候再看。他俩一路上叙说着分别后的种种遭遇和冒险经历,感到如今幸福极了。

按照泰山的计划,他准备从阿卢尔城的上方和荷丹村落下方的中间地带穿过那些山冈。因为这一带是两族的中间地区,既没有华丹人也没有荷丹人。然后他们再转向西北,走到狮子谷的对面,在那里泰山将拜访欧马特,并告诉这位酋长有关潘纳特丽的消息,以及他如何才能保证使她安全回来的计划。

他们走到第三天,就在将要走近那条穿过阿卢尔城的河流时,琴恩忽然抓紧泰山的手臂,指着前面的树林边对泰山小声说:"那是什么?"

原来树阴下有一头庞然大物。泰山立刻就认出它来,回答说:"它是一头格雷夫。它大概已经看见我们了。恰好在这种最不利的地方遇到它。这周围两百码之内没有一棵大树。来吧!琴,我不能让它危及你的安全,我们还是向后退吧!但愿它没有看见我们。"

"要是它看见我们了呢?"琴恩问道。

"那么,我就只好冒一次险了。"

"冒险?"

"对,唯一的机会就是看我能否制服它。我曾经制服过一头它的同类。"泰山说,"我对你说过我制服过一头格雷夫的事,你想起来了吗?"

"是的,我想起来了,可是我怎么也想象不出它会是这么大的家伙。约翰,它简直像一艘大战舰。"

泰山听了不免笑道:"没那么厉害。它要是来攻击我们,我会让它温顺起来的。"

他们边说边向后退,以免引起它的注意。

"我想它肯定发现我们了。"琴恩小声说。她的声音里带有一些紧张和激动。这时一声惊雷似的吼声从树林那面传过来。泰山听了摇了摇头说:"不妙,它这么大叫肯定是要向我们攻击了。"

泰山无可奈何地笑了笑。他猛地把琴恩搂在怀里,并吻了她一下说:"谁也说不准,我只好尽力而为了。把你的长矛给我,你不要跑。看起来我们的希望不在于我们怎么想,而在于它那个小脑瓜里怎么想。让我们看看我还能不能把它降服。"

这时那头格雷夫已经走出树林,正瞪着它的小眼睛搜寻他们。泰山提高嗓音学着图尔欧顿的声音叫起来:"咵啊!咵啊!咵啊!"

那个大家伙忽然停下来,它的注意力好像全被泰山的呼叫吸引住了。于是人猿泰山径直向它走去。琴恩惊恐地紧拉着他的胳膊。泰山快到它跟前时，又“咴啊”地叫了一声。这时格雷夫发出了一声低沉的呼噜声，好像是回应人猿泰山的呼叫，接着慢慢地向泰山走来。

“好啊!”泰山不由得轻轻叫了一声说，“我们的机会来了。琴恩，你不用害怕了。”

“我和人猿泰山在一起总是放心的。”琴恩松了一口气说。泰山也感觉到，她抓着他胳膊的手也松了下来。

于是他俩缓缓地向格雷夫走去。直到他俩走到格雷夫巨大的身影下，泰山又“咴啊”地叫了一声，接着就用长矛的杆敲打着格雷夫的口鼻部。这个凶猛的家伙似乎没有被激怒，看起来似乎比刚才温顺了。

“快来。”泰山说着就拉起琴恩的手，绕到格雷夫的后面，攀住它的大尾巴，爬上了它有角的脊背。

“现在我们就这样坐在格雷夫背上。这可比当国王都要高贵，因为就是国王见了我们也要吓跑。你说我们要是这样骑着这个大家伙到伦敦的海德公园转上一圈，该是什么结果?”

“那么，我们的巡警先生可要吓死了。”琴恩大声地笑着说。

泰山指挥着这头格雷夫，按照自己的意愿前进。他们一路上爬坡过河，没有什么险阻能挡住这个庞然大物。

“这真是一辆史前时期的大坦克。”琴恩高兴地说。

有一次当他们穿过一块空地时，无意间遇上了一队有十来个人的荷丹武士。这些人都躺在一棵孤零零的大树荫下。当他们看见格雷夫时，吓得都跳了起来大呼小叫不止。惹得格雷夫发起怒来，竟向他们冲去。这些武士只好四散奔逃。泰山也恐怕格雷夫撒起野来他自己也控制不住，于是拼命用矛杆敲打它的鼻子，最后总算把格雷夫管住了。而这时格雷夫也正好来到一个还来不及逃走的武士跟前。那个武士回头一看，正好看见格雷夫高大的躯体，吓得他的脸变得一点儿人色都没有，没命地向树林里逃去。

人猿现在很满意，他原以为如果格雷夫真要攻击起来会控制不住它，所以就想在到达狮子谷以前把它放走。现在出乎意料的是，敲打它的鼻子还是能使它听话的。这样泰山就决定改变他原来的计划，骑着格雷夫到欧马特的村子去。这样，狮子谷里从此就又多了一桩能够流传好多年的奇闻谈资了。而且，从琴恩的安全考虑，骑在格雷夫的背上，不论是人是兽都奈何她不得。不用说，格雷夫也是帕鹿顿最令人害怕的动物。

就在他们骑在格雷夫背上缓缓向着狮子谷前进的时候，那几个吓坏了的武士跑回阿卢尔城，散布了关于真神的儿子的消息。他们不敢大声叫他真神的儿子，只说他是可怕的泰山，骑在一头格雷夫的背上。他的身旁还坐着戈坦生前想娶她做王后的那个外来的美丽女人。

这个故事终于传到了总祭司鹿顿那里。他于是召来了那几个武士，把这事问了个清楚。最后他完全相信这是事实了。根据武士们说的情况来判断，他俩一定是到猹鹿去会约东的。这可是个无论如何必须加以阻止的大事。他不想到临时才去干预，所以他叫来潘撒特，两人密谋了好久，终于商定了一项计划。潘撒特立刻回到自己的房间，摘下头饰，穿上盔甲，带上武器改扮成一个武士,然后又来到鹿顿面前。

"好!"当鹿顿看到他时称赞说,"你的同伴或者你的奴隶现在也认不出你来了。不要延误时间,事不宜迟,越快越好。记住!把那个男的杀死,但无论如何也要把女的弄回来见我。你明白了吗?"

"是!主人。我知道了,您尽管放心吧!"这个祭司回答说。然后他就独自离开阿卢尔城,取道西北方向,朝猹鹿进发了。

狮子谷的下一个山谷是一个无人居住的地方。聪明的约东选择这里调遣他的军队,以便从这里俯攻阿卢尔城。他驻扎在这里还有两方面的考虑:一是从这里向鹿顿发起进攻可以出其不意;其次,在发起攻击以前,可以使他的人避免听到种种谣言,以免动摇军心。例如在城里已经有谣传说,真神要亲自帮助总祭司鹿顿来攻打约东,所以他认为还是不让部下听到这种"神的报复"为好。现在他们几乎是与世隔绝的。这是约东煞费苦心的安排。

这时,在峡谷口守望的一个岗哨忽然报告:他发现下面的峡谷中,有两个骑在格雷夫身上的人。究竟这两个人是谁,因为距离太远看不清楚,他们正向狮子谷这面走来。

一开始约东不大相信这个岗哨的报告,可是他也像许多好的司令官一样,对于任何可疑的消息一定要弄个水落石出。所以,他亲自带了一小队武士到谷口去查看究竟。当他们刚走到岗哨站立的地方,那个士兵就拉住他的手小声说:"他们已经走近了,您现在可以清楚地看到他们了。"

果然,在前方不到四分之一英里的地方,有两个人正骑在格雷夫的背上走来。根据约东多年的经验,他还从来没有在帕鹿顿见过这种事。

开头约东几乎都有点不相信自己的眼睛,但是很快他就清楚地看到下方确实是两个人骑在格雷夫背上,而且,他马上就认出了那个男人。于是他高兴得跳起来大喊道:"就是他!"他对他周围的武士说,"他就是真神的儿子啊!"

格雷夫和骑在它上面的人都听到了喊叫声,尽管喊的什么他们还听不清楚。而这时格雷夫却发起怒来,向着发声的地方冲去。而约东竟也带着他的几个部下高兴地迎了上来。

泰山这时并没有看清来的是约东他们,他只想不要中途别生枝节,所以尽力控制住格雷夫避开来人,向另外的方向走去。但是,发怒的格雷夫并不听泰山的指挥。因此,当双方已经很接近时,泰山才看清来的是约东和他的武士,而此时要控制格雷夫已经来不及了。约东看这形势,只好和他的武士纷纷逃上树去。直到格雷夫快冲到树下时,泰山才把这个大家伙制住。

约东和他的武士们逃到树上后,终于安定下来,而冲过来的格雷夫也刚好在他们的树下被控制住了。这时约东在树上大声向树下的泰山喊道:"我们是朋友,我是约东,是猗鹿城的酋长。向尊敬的真神的儿子致敬。"约东说着低下了头,举手向泰山表示敬礼,"请求您帮助我们立刻去打败总祭司鹿顿。"

"你还没有打败他们吗?"泰山问道,"我以为你早就当上帕鹿顿的王了呢!"

"还没有呢!"约东回答说,"人民都害怕总祭司,而且现在庙里又有一个自称是真神的。我的许多武士也分不清真假,所以都怕他们。如果他们知道真正的真神回来了,而且又支持和降福给约东的事业,我相信胜利一定是属于我们的。"

泰山听了,想了好一会儿说:"约东是相信我的,他也盼望我能给他帮助,所以我有责任去帮助约东干掉那可恶的鹿顿。这也不光是为了我,也是为了我妻子。我会和你一道去找鹿顿,让他得到应有的惩罚。现在,酋长,请你告诉我,应该怎样帮助忠诚于真神的子民?"

"请您现在就和我一块儿到猸鹿,以及这里和猸鹿之间的村庄去,"约东很快地回答说,"这里的人民会亲眼看到真神是支持约东的。"

"那么,你认为他们会比以前更相信我吗?"人猿泰山问道。

"谁敢不相信骑在这么大的一头格雷夫身上的不是真神的儿子呢?"老酋长回答道。

"那么,如果我和你去阿卢尔城打仗,"泰山又问道,"你能保证我妻子的安全吗?"

"她可以留在猸鹿和欧拉公主在一起,还有我族的妇女们做伴。"约东回答说,"我还可以派一些绝对可靠的武士去保护她们。真神的儿子啊,您来了我真高兴。因为我的儿子塔丹已率领一支队伍从西北方向对阿卢尔城进行攻击。如果真神的儿子能率领我们从东北方向进攻阿卢尔城,那我们必胜无疑。"

"约东,就照你说的办吧!"泰山说道,"不过你现在要弄些肉来给我的格雷夫吃。"

"我们上面的营房里有的是肉,因为我的人守在这里没事就去打猎,所以有不少剩肉。"约东回答说。

"太好了!"泰山高兴得叫起来,"让他们快拿来。"

当肉拿来以后,泰山就和琴恩从这头凶猛的"战马"背上跳下来。然后,由泰山亲手抓了肉喂它。他对约东说:"你要当心!这里一定要给它留下足够的食物。"

因为泰山估计到,如果让格雷夫过分饥饿,它大概会不听话的,那时就不好办了。

果然,当第二天早上泰山准备动身离开猞鹿时,昨天留在格雷夫身旁的两只羚羊和一头狮子的尸体已被吃得一干二净。

泰山看了不由得对琴恩说:"古生物学家还说它们是食草类动物,看来它照样吃肉啊!"

去猞鹿的途中,他们有意穿过一些村庄,因为约东希望村里的人相信他的事业是得到真神支持的。有一队武士走在泰山的前面预先通报,免得村民们见了格雷夫后吓跑。结果正如约东所料,他们穿过村子的时候,村民们看了这景象都相信人猿泰山真是神族下凡。

当这一队人快走近猞鹿时,有一个陌生武士混入进来。约东的人都不认识他。据他自己说他是从南面的村子来的,因为遭到鹿顿的一个酋长虐待,所以才从总祭司鹿顿的统治下逃出来,想到猞鹿来安家。

老酋长对于给自己增添力量总是欢迎的,所以就让他跟自己的人一道进城。

他们这一行人进城以后,格雷夫如何安置就成了一个难题。

在他们穿过约东的营地时,泰山曾费了好大的力气才制止住格雷夫见生人就攻击的毛病。

经过这一路跋涉,它总算对荷丹人有点习惯了。而荷丹人也多半和它保持一个较安全的距离,不去惹它。可是进了城情况就不一样了,人们只能在安全的地方去观看它。所以,最后人们就建议把它关在王宫里一处有高墙围绕的空场上。

当琴恩从它背上下来后,泰山就把它赶进围墙里面去了。约东又叫部下弄些肉来扔了进去,留格雷夫在里面享用。因宫里的人从来也没接近过格雷夫,所以连爬上墙头去观望都不敢。

约东领着泰山和琴恩来到欧拉公主的宫里。公主一见到泰山就跪倒行礼。潘纳特丽也在这里,她见了泰山也非常高兴,连连向可怕的泰山打招呼。当大家知道琴恩就是泰山的夫人以后,对她也十分敬畏。如今,即使是约东的最机灵的武士,也相信猹鹿里正在接待一位真神和神女。

泰山从欧拉的嘴里知道了好多事。塔丹已经回来了。他们将按照这里神秘的仪式和他们民族的习俗结婚。只要塔丹一从阿卢尔城得胜归来,就马上举行婚礼。

军队的补充工作已经在城里进行。现在他们决定,第二天泰山和约东回到主要的隐蔽营地,在夜幕降下时向阿卢尔城发起攻击。

这一计划被按时通知给塔丹。这时塔丹正驻扎在大湖(金得宾卢尔)的北边,那里距阿卢尔城只有几英里路。

为了实现这一计划,琴恩只好留在约东的猹鹿王宫里和欧拉及她的女仆们在一起。不过这里也留了足够的武士保护她们。所以,泰山和夫人告别时,认为琴恩在这里丝毫危险也没有。这样,泰山又骑上格雷夫和约东以及他的武士们出城去了。

走到峡谷口时,人猿泰山决定舍弃他的坐骑格雷夫,因为他认为在即将开始的战斗中,这个笨重的大家伙作用很小,特别是攻击阿卢尔城的时间定为明天拂晓时分,那时天光还很暗,他坐在格雷夫身上大概还看不大清楚敌人。于是,他从格雷夫背上跳下来,照它的屁股上刺了两下,这个畜生就嚎叫着直朝格雷夫峡谷跑去。而人猿泰山对此一点儿都不感到有什么歉意,因为他既不知道格雷夫多变的天性,也不知道它的胆子究竟有多么大。如果它撒起野来,连泰山也控制不了它,这可不是好玩的。因此,泰山宁可不要它参加战斗。

他们一行人一走出峡谷口,攻击命令就发出了!

二十三
生擒活捉

夜色中，一个武士从猰鹿的王宫里溜出来，径直朝祭司们的住处走去。这件事没引起任何人的注意，因为武士到庙里去办事是常有的。他走进一间僧房，那里正有几个祭司在休息。仪式和祭典已经完成。到明天太阳出来以前，他们再没有什么宗教上的事要干了。

这个武士知道：在猰鹿王宫和庙宇之间，并没有森严的警卫和岗哨。

这个武士到庙里来是来找帮手的，以便完成他的计划。

他进了僧房之后便行礼，同时他又做了一个小手势。这个手势只有懂它的人才明白。所以，立马就有两个祭司站了起来。这个武士看到有人响应也就转身出了僧房。接着这两个祭司也一前一后地跟了出去。他们这些动作没有引起屋里别的祭司的注意。

在走廊上，这两个祭司发现那个武士正等着他们。接着武士就把他们领进附近一间小屋里。在这里他们又交换了一下前面说到的那个手势，表示他们之间是有某种关系的。他们在这里小声交谈了一会儿，不知做了些什么约定。然后武士就从小屋出来,径直回了王宫。随后,两个祭司也装着不是一起的,先后回了僧房。

约东王宫里的妇女们都住在一条长廊中的小屋里。每一间房子都有一扇门对着长廊。而屋子的后窗都朝向一座花园。琴恩也被安置在这儿的一个房间里。在长廊的每一头都有武士在把守。而武士们的总值班室就设在妇女居住区的入口。

王宫里约东规定大家尽早休息,餐厅里不许酗酒作乐。因此,这里从来没有像在阿卢尔城里那种喧闹至夜半的事发生。猹鹿比阿卢尔城要宁静得多,但是这里的通道口都有武士把守,尤其是约东内眷居住的地方更是如此。

不过每处的守卫一般也只有五六个人,他们轮流值勤,每班只有一人。在妇女居住区的走廊两头,各有一个值勤的武士。琴恩和欧拉公主也就住在这里。

这时有两个武士打扮的人走来。向走廊两头的两个武士交换口令后,他们说是要来接班的。因为守卫毕竟是一件令人厌烦的事,所以没有一个武士不欢迎有人来代替他们。何况他们的口令也毫无问题,就是面貌有些陌生也无关紧要,所以这两个守卫像意外得到休假一样高兴地走了。

过了一会儿,又来了第三个武士。他们三个很快聚在一起交换了一下暗号,就来到睡梦中的人猿泰山的妻子门口。这三个武士中的一个,就是前一天在猹鹿外遇到泰山和约东的,说是来自阿卢尔城的武士,也就是前面说的从王宫里溜进庙宇联络两个祭司的那个武士。那么这两个冒充武士来替班的,当然就是那两个祭司了。不过因为祭司们一般都戴着面具,所以往往互不相识,只能靠暗号或手势联系。

他们三个在门前轻轻撩起门帘,然后迅速钻了进去。这时,格雷斯托克夫人正熟睡在墙角的一堆柔软的兽毛上。进来的三个人都没有穿鞋,所以他们可以在石板地面上无声地走动。

一束月光从窗户透进来,正照在琴恩的身上,使她越发像一尊玉雕石刻的晶莹美女神像。在她周围是铺散开来的毛茸茸的睡榻,身上则松散地盖着一床毛被。进来的三个人径直走到她面前。

对于这三个人来说,这个熟睡女人的美丽和无助,既引不起他们心中的同情,也得不到一个正常男子应有的怜悯。她不过是他们所要完成的一桩任务和所要攫取的一个肉体罢了。

在地板上还有几块散落的毛皮片。那个发号施令的武士拿起其中的一片,向睡着的琴恩蒙去,然后招呼那两个同伙过来,又把一条毛毯卷在女人的身上。他们干得很快,以致琴恩醒来时,发现自己既动不了,也喊不出声来。他们的动作并没有惊动周围房间的人。

他们把琴恩拉起来,让她走到窗前去。但是琴恩拼命反抗,反而滚倒在地上。于是他们大怒,但又不敢伤害她。因为鹿顿有令:如果损害了他漂亮的战利品,必将受到严惩。

一个武士只好走上前去把她抱起来,扛在肩上。就是这样,这件工作也很困难,因为琴恩的脚还是不断地踢蹬。他们最后还是成功地从窗户上把琴恩弄了出去。他们到了花园以后,一个冒充武士的祭司领着他们向花园南墙角的小栅栏门走去。

打开这扇门,有一道向下去的石阶,下了石阶就是一条小河。在这里已经拴着几只独木舟。领头干这件事的,正是鹿顿的亲信潘撒特。他真是幸运极了,能如此顺利地得手,完全得益于这两个祭司对王宫和庙宇的环境十分熟悉,否则他是决不会从王宫里把琴恩弄走的。

他挑了一条木船,把琴恩放在船底,接着他也跳了上去,拿起双桨。他的同伙解开了缆绳并把小船推进河里。这两个祭司的叛逆行动成功后,就回到庙里去了。潘撒特用力地划着双桨沿河而下,直向金得宾卢尔大湖边的阿卢尔城驶去。

月亮已经沉落,东方却连鱼肚白都没出现,大地一片漆黑。一长队武士正悄悄地向阿卢尔城走去。他们的计划是早已定好的,现在正按他们原定的路线进行。他们另派了一个使者,给正在阿卢尔城西北方向的塔丹去送信。泰山则带领一小队人,循着只有他一人知道的一条暗道进入庙宇和王宫。与此同时,约东则带领他的大队武士从正面攻打王宫的大门。

泰山领着他的一小队人穿过阿卢尔城里弯弯曲曲的小巷,很快就来到了暗道的入口处。这里是一座很少有人来的建筑物,那暗道口就藏在里面。这个地点因为非常隐秘,除了祭司们再无人知道,所以也就没有设任何岗哨。泰山为了让他的小队顺利地穿过弯曲而又狭窄的暗道,点起了预先准备的火把走在队伍的前面。

泰山认为只要他和一小队武士到达庙宇的内室,就必然引起对方混乱,从而吸引住祭司,使他可以腾出手来从背后进攻王宫。与此同时,约东和塔丹的队伍正好在王宫的前面会合。约东攻打正门,塔丹则攻打北墙。这样就起到了内外夹攻的态势。

另外,约东一再向泰山提到,如果真神的儿子出乎人们意料地出现在庙宇中,一定会鼓舞约东武士的士气。虽然鹿顿的武士多年来对总祭司十分畏惧,但现在泰山的神出鬼没也会令他们产生动摇。

帕鹿顿人有句俗话:"踏着正路走的人,有时也会失足。"它和苏格兰的一句老话"人算计得再好,也会出差错"大致相同,均说天下事往往会出人意料。

泰山对这条暗道比较熟悉,而且有火把的帮助,不由得把队伍甩到了后面。尽管这火把很亮,但是也照不太远。由于泰山想接近敌人的心切,所以没有顾及后面的人是否跟了上来。而且泰山从小就养成了一种习惯,在战斗中总是喜欢依靠自己的机智和勇敢。

人猿泰山很快爬上走廊上层,它直通鹿顿和小祭司们的房间。当转过走廊的一个小弯时,他借助手中火把的微弱照明,看到从走廊另一面的一条通道走过来一个武士半拖半拉着一个女人。一刹那泰山立刻就认出那个被塞住嘴、绑住的女人正是自己的妻子!

那个拖着女人的武士同时也看见了泰山。他同时听到了从人猿泰山的嘴唇边发出的像野兽一样的咆哮声。这时的泰山一面发出愤怒的声音,一面准备跳上前去夺回自己的妻子,并向劫夺者复仇。但是靠潘撒特一侧的走廊边正好有一间小屋,于是他就拉着那个女人一闪身钻了进去。

人猿泰山这时也紧跟在后面,他扔下火把,抽出了他父亲留给他的长猎刀,像一头发怒的公牛一样,追着潘撒特冲进了这间屋子。当他掀开的门帘在他后面垂下来时,屋子里一片黑暗。也就在这会儿,只听得扑通一声,一道石墙在他前面落了下来,接着又是扑通一声,又一道石墙在他后面也落下来。聪明的泰山用不着别人提醒,已明白自己又落进了鹿顿庙宇中的石牢里了。

这一次泰山站在他刚进来的地方一动不动,免得再像前次那样被人很轻易地扔进格雷夫的洞里去。当他站在这里慢慢地习惯了周围的黑暗以后,感到什么地方有缝隙能透进一点光来,使他能看到一些四周的情形。过了一会儿,他终于找到这光是从屋顶进来的。当然这里并没有直接的光亮进来,它只不过更像地狱里射进的一缕幽光,使他在如漆的黑暗里能看到点东西罢了。

虽然两面的门都被落下的石板堵塞,但泰山的耳朵还是一直听到绑架他妻子的那个人的去向。现在,他大致探清这间囚室的情形了。它的面积并不大,约有十五英尺宽。他跪在地上用手慢慢摸着地面,发现小屋中央正对天花板洞口的下方有一个陷阱口,不过现在那里也用石板堵着,并没有打开,但用手可以摸到它周边的缝隙。这引起泰山很大的警惕,他知道如果踏在这上面,很可能又会掉进下面的什么洞里去。然后,他又探索四面的墙壁。他进来的一面有一道门,现在已经封死;对面也有一道门,就是那个武士把琴恩拖出去的那道门,现在当然也被石板封死了。那个武士也不知逃到哪里去了。

当潘撒特把琴恩带到鹿顿房间时,一把把她摔在总祭司面前的地板上。鹿顿高兴得用舌头舔着两片薄薄的嘴唇,两只瘦骨嶙峋的手高兴地搓来搓去,说:"好得很!潘撒特,你干得好,我一定要大大奖赏你。要是我们把那个假'真神的儿子'也弄到手,那么整个帕鹿顿就都在我们的控制之下了。"

"主人,我已经把他捉住了。"潘撒特大声报告说。

"什么?"鹿顿兴奋地喊道,"你已经捉到可怕的泰山啦?你把他杀了吗?快告诉我,好能干的潘撒特。我想马上知道这事!"

"我把他活捉了,鹿顿,我的主人,"潘撒特回答说,"他被关在那间小机关囚室里了。"

"你干得真好,潘撒特,我……"

鹿顿正说到这里,一个慌里慌张的吓坏了的祭司跑了进来说:"快,快点,主人!走廊里满都是约东的武士。"他大喊道。

"你疯了吗?"总祭司喝斥他道,"我的武士完全控制着王宫和庙宇。"

"我说的可是真话,主人,"那个祭司仍然坚持说,"约东的武士已经快到这里了。他们是从通向城里的秘密通道到这里来的。"

"他说的可能是真的。"潘撒特插进来说,"泰山也是从这个方向来的。我就是见他从这个方向来,才把他引进石囚室的。那些武士大概都是泰山领到这地方来的。"

鹿顿听了,急忙走到门口向走廊看了一眼,马上就明白那个恐慌的祭司讲的完全是真话。有十几个武士已经从走廊上向这面走来。不过他们乱糟糟地显得群龙无首的样子。鹿顿看出来他们因为跟丢了泰山,现在已经不知道怎么在庙里走了。

鹿顿立刻退回到屋内,他抓住从天花板上吊着的一根皮带,猛地拉了几下,于是庙中就响起了沉闷的铜锣声:当!当!一共响了五下。声响一直传进走廊。然后鹿顿吩咐两个祭司说:"带上这个女人,跟我走!"

两个祭司赶快把琴恩抬起来,他们跟在鹿顿后面,通过一个小门走进狭窄的走廊。然后,他们忽左忽右转了几个弯,又通过一道向上的螺旋状甬道走出地面,来到一处有最大的内祭坛的庭院内。它与西面的祭坛很近。

这时,无论是地面上还是地下的走廊里,从四面八方都响起了向这里奔来的脚步声。因为刚才的五下锣声正是呼唤信徒和忠实于鹿顿的人前来的信号。这里的祭司们都是熟悉地上和地下路径的,而泰山领来的武士却完全不知道这里道路的详情。尽管他们都是勇敢的人,但是面对这种不利的形势,只好退回到他们的来路上去。当他们退到进来的甬道后,觉得安全些了。因为这里狭窄,他们迎面只需对付一两个对手,但是他们原来的计划却完全没法进行了,甚至他们很可能失去目标。原来约东成功的希望突然变得渺茫起来。

不过外面的约东并不知道里面的情形。当他听到五下锣声,还以为是泰山已经在里面得手了呢,所以他也率领武士在外面向王宫的大门发起了进攻。

外面的喊杀声、高叫声也传到了在内祭坛庭院里的鹿顿的耳朵里。战争已经开始。于是他把琴恩留给潘撒特看守,匆匆赶到王宫去指挥他的部下。与此同时,他又派遣一些送信人到走廊里、下面的甬道里和别的地方,告诉那里的部下,那个冒充真神儿子的家伙已经被他关到囚室了。

当战争的喧杂声正在阿卢尔城上空回荡时,中尉奥伯葛茨从他柔软的睡榻上翻身坐了起来。此时天还没亮,他揉着两眼,向四周看了看说:"我是真神!"他大喊着,"谁敢搅扰我的睡梦?"

一个女奴赶快俯伏在他的睡榻前，额头触地战战兢兢地说：

　　"真神，这一定是敌人杀来了。"她说得尽量平和一些，因为她感到，如果过分惊慌会引起真神发疯。

　　正在这时，一个祭司突然掀开门帘闯进来，俯伏在石板地上："真神！"他大声说，"约东的武士已经来攻打王宫和庙宇了。他们就在鹿顿房间外面的走廊上啦！请您亲自前去，赐给信奉您的武士们以勇敢和力量吧！"

　　奥伯葛茨一下子就跳了起来："我是真神！"他大声说，"我有闪电，我要摧毁那些敢攻打圣城阿卢尔的亵渎者。"说着，他在房间里乱蹦乱跳乱冲了一阵，不知应该到什么地方好。而这时那个女奴和祭司仍跪在地上。

　　"快！"奥伯葛茨大喊着，踢了伏在地上的女奴一脚，"快！难道你还在这儿一直等到敌军毁灭光明之城吗？"

　　这一僧一奴听了之后赶快爬起来，胆战心惊地跟着奥伯葛茨奔向王宫去了。

　　就在武士们的叫喊声中，突然祭司们高呼起来："真神来了，金得宾欧茨就在这里，那个假真神儿子已经被囚禁在庙里了。"这持续不断的高叫，连那些喊杀不已的约东武士们也听得见。

二十四
死亡的信使

太阳升起来时,约东的军队仍进攻不畅,只攻占了王宫旁边的一座高房子。

约东派人爬到屋顶向北边眺望,见塔丹还没有领兵来到,心中十分焦急!武士一直向北面看着,等了好几个小时,塔丹的队伍却一点影子都没有。这时,阳光已照到了王宫的屋顶上,总祭司鹿顿走上王宫的屋顶,他的左右各站着一个人。一个是莫撒,另一个是打扮得怪模怪样的陌生的汉子,原来这人就是奥伯葛茨中尉。他裸着身体,长长的胡须和头发上插满了鲜花和凤尾草。在他们的身后,还站着一队祭司正高声喊叫:"这位就是真神!约东带来的叛军,快放下你们的武器吧!"

他们连声地这样喊着,中间还有人叫道:"那个冒充真神儿子的人,已经成为我们的俘虏了!假的就是假的,我们城头上这位才是真神!"

在两军对垒时,这样的宣传往往有很强的效果,约东所率领的武士中,有些人已经受到影响了。这时有人在城下半信半疑地喊:"那个冒充真神的儿子的人既然被你们捉住了,带出来给我们看看,我们才相信,谁知你们喊的是不是空话?我们不信空话。"

鹿顿站在城头上看着,知道约东的军心有点动摇了,忙高声说:"你们等着吧!当太阳到天空正中间之前,我如果不把冒充真神儿子的骗子押出来给你们看,我会自动地打开王宫大门请你们进来。同时,我还会解除我部下的武装,君子一言,你们等着看吧!"

说完,他立刻转身,对他身后的一个祭司下了一道简短的指令。

泰山被囚禁在狭小的牢狱中,他不断地抱怨自己太笨拙、太麻痹大意,以致落入了陷阱。果真是由于他笨拙吗?绝不是的!他看见琴恩被人捉去,哪有不追赶之理呢?他左思右想,琴恩明明在约东城里安顿得好好的,怎么会被捉到这里来了呢?

忽然,他脑中浮出一个记忆:那个拖着琴恩的武士,看起来很面熟,好像在哪里见过。于是他一点点回忆,噢!对了,想起来了!那个武士就是在猹鹿城外要求加入约东队伍的那个陌生人!泰山一下子都明白了,原来鹿顿早就用上阴谋诡计了。

后来,泰山隔着石门听见外面有敲锣声,还有奔跑的脚步声和喊杀声。他知道约东率领的武士一定和敌人开战了。他真悔恨自己被困在牢狱里,没有办法参加外面的战斗,心里觉得十分懊恼。他看看屋顶上面那个圆洞,似乎那里没有什么别的机关,他想试着从那儿出去。但他还是谨慎行事,没敢轻举妄动。他无可奈何地在小石屋里走来走去,好像被关在铁笼里的狮子一样。

时间就这样一分钟一分钟地过去,泰山被困在里面大约有好几个小时了。他忽然听见有轻轻的脚步声,似乎是向这里走来的。远处还能听见喊杀声,他知道外面的战斗还没有停止,他猜不出双方到底谁胜谁负。他想,也许约东打了胜仗,知道自己被困,特意来救自己的?但是,约东如果打胜了,战事就应该停止,为什么还有喊杀声呢?他越想越不明白。对于渐渐走近的脚步声,他不由得警惕起来。

泰山又看了看屋顶,发现圆洞里似乎垂下来一个东西,他走过去仔细看了看,原来是一根绳子。泰山非常奇怪,这根绳子是做什么的?是不是它早就在这里,自己没有看见?洞里黑黑的,可是屋顶却有光透进来,按道理,自己不会看不到这根绳子。

泰山不禁好奇起来,伸手去抓这根绳子,看有什么动静。他能抓到的,恰好是绳子的末端,摇了两下,看没有什么动静。他想试试这绳子是否结实,能不能经得住自己的体重。他又松开手,往后退了几步,好像一头猛兽看准了一头猎物欲向前扑一样。泰山又凝神静听一下,觉得洞外没有什么声音了。于是泰山抓紧绳子,沿着绳子向上爬去。他将要爬近洞口时,并未马上跳上去,而是又细细地听了一阵。觉得上面确实没有声音,地板中间那个陷阱也没有什么动静时,他才放下心来。他十分谨慎地沿着绳子爬上去,慢慢地接近了屋顶。

就在泰山的双手将接近天花板时,突然间,上面有一件东西掉下来了。说时迟,那时快,嗖的一声就绑住了他的双臂,使得泰山既上不去,也下不来。接着就有一道亮光,从洞口射下来。泰山借着这束光,看见洞口外面有两个戴着面具的祭司,正从洞口向下张望。那祭司的手里还拿着几根皮带,很快把泰山的两手紧紧捆住了。泰山还看见在这两个祭司身后还有几个祭司,他们一齐抓住泰山的胳膊,把他拖到了屋顶上。

泰山这时才明白，自己怎么会上当，怎么会被绑住的。原来，那绳子有个活结，预先放在洞口外贴近天花板的地方。两个祭司各拉着绳子的一端，面对面地蹲在屋顶上，然后又放下一根绳子来引诱泰山。当泰山爬到洞口时，他的双手肯定会伸进活结，两个祭司同时用力一拉，就轻而易举地把泰山的双手捆住了。

泰山被拖上屋顶以后，他们根本不容泰山站起来，就七手八脚地把他按住，把他的双腿也紧紧捆起来。泰山此时一声不响，被一群祭司拖到了庙宇中。

这时，约东正在督促他的部队战斗。他不管援兵到不到，仍旧英勇作战。塔丹到现在仍没有赶到。战斗进行的时间已经不短了，约东这方面的武士们渐渐有点支持不住了。正好在这个时候，那群祭司们把泰山扛上了王宫的屋顶，故意让约东的部队看。鹿顿非常得意地高声喊着："你们看见了吗？冒充真神儿子的这个家伙，在这里被我们捆起来了！你们看清楚了没有？"

他这样喊有两重目的，一是瓦解约东的士气，二是鼓舞自己的士气。

奥伯葛茨就站在鹿顿的身边，这时他心里很乱，不知到底是怎么一回事。他瞪着两只眼睛，呆望着手脚都被捆住了的泰山。他觉得这个人虽然被俘虏了，可脸上的神情还是很威严。他仔细一看，竟吓得失魂落魄了。原来，他见过人猿泰山一次，后来他多次梦到过这个人来追魂取命。他心里分明知道，泰山发誓要杀死三个德国军官，以报烧毁庄园、杀死家人的仇恨。三个军官中，施奈德首当其冲，被他杀死在威廉镇，而且在此前他还错杀了施奈德的哥哥。接着中尉高斯也被他杀了，现在就只剩下奥伯葛茨。

他知道泰山寻找自己已经有好几个月了,今天真是冤家路窄,会在这儿碰上,他心里自然是又惊又怕。奥伯葛茨定了定神,在为自己能活命打着算盘。他想,如果今天不杀泰山,泰山迟早会杀掉自己。他站在那里默默地发呆,鹿顿看着他这副痴痴呆呆的样子,不知道他又在想什么,真有点发急,因为他那又惊又惧的神情实在不像真神。他又偷眼看了看泰山那副威武不屈的神态,反倒比奥伯葛茨更像个真神。

此时鹿顿已经非常警觉地注意到,有几个王宫的武士已经在那里交头接耳。这可不是好兆头,他急忙走近奥伯葛茨,推了他一把,低声说:"你是真神,还不快宣布这个人的死刑!你发什么呆呀!"

奥伯葛茨像从梦里醒来一样,抖了抖身子,说:"我,我是真神……"

他由于心里害怕,颤抖着声音说了一半,又说不下去了。

泰山此时却直视着对方的眼睛,用流利的德语说:"我认识你,你是德国军队的奥伯葛茨中尉,你是我三个仇人中,至今还活着的一个,我已经找了你许久了。在你那犯罪的心里应该知道,上帝既然让我俩见面,当然不会让我们白见一次!"

奥伯葛茨当然明白泰山话里的意思,他心绪大乱,只瞪着眼看着泰山,竟不知该用什么话回答他。

他看了看两边的武士,武士们也都盯着他在看。他又瞧了瞧泰山。他知道现在自己已被逼得没有退路,武士们对他已经产生疑惑了。只要自己稍一软,处境就会十分危险。于是他把心一横,只好装疯装到底了。

他硬着头皮拿出普鲁士军官喊口令的声调,这倒和他装疯时的大喊大叫大不相同,大家听着都觉得奇怪,连鹿顿脸上也露出尴尬的神情。

原来,奥伯葛茨怪声怪气喊的是:"我是真神!这个家伙不是我的儿子。为了让这个亵渎真神的人受到处罚,必须把他扛到祭坛上去接受死刑!等到太阳走到天空正中时,就用他在庙宇中祭神!"

他边说边装模作样地用右手指着天空。

方才押泰山来的那些祭司又把泰山押回去了。奥伯葛茨转身对城门外的武士大声喊道:"约东的武士们!刚才你们都看到了,赶快放下你们的武器吧!如果你们再敢对抗,我一定用闪电劈死你们!凡是服从我的,就可以得到赦免。不要迟疑了!快放下你们的武器!"

约东的一些武士感到无所适从了,有的甚至用敬畏的眼光看着王宫屋顶上的人们。约东看到这种情况,十分愤怒。他从人群中跳出来,高声叫着:"我的武士们听着!凡是愿意做奴隶的,就放下你们的武器,尽管走到王宫里面去;凡是忠于约东和猹鹿的武士,绝不要在敌人面前低头,我们宁死也不能在鹿顿和那装神弄鬼的假神面前低头!你们准备怎么办?赶快作出自己的选择!"

约东这样一喊,只有少数的武士放下了武器,像小绵羊一样走到王宫里,多数武士还站在约东一边。于是约东高喊了一声,率领着忠勇的武士们再一次向王宫发起了进攻。

约东的武士屡次进攻,又屡次败退。时间已快近中午了,鹿顿改变了他的战术,只留下一部分武士坚守宫门,抽出一部分武士由潘撒特率领,经过城里的秘密通道去包抄约东的后路,打算给他来个前后夹攻。果然,约东一方大败,武士死伤殆尽,约东也被俘,被他们押进城,带到鹿顿的面前。

此时鹿顿得意万分,高声地吩咐道:"把他也押到庙宇里去,让他亲眼看着他的同党受死刑,最后,真神也会判决他死刑的。"

这时,祭神殿堂里的气氛真是阴森森的。西边祭坛上的两端站着泰山和琴恩,他俩都被捆绑着。外面已经没有战斗的声音了。泰山见约东也被捆绑着押进来,便转头看了看琴恩,然后向约东那边点点头说:"看这情形,大概是完了,我们连最后一点希望都没有了。"

琴恩说:"约翰!还算幸运,我俩最后还是见面了,现在我唯一的希望,就是他们把咱俩一块儿杀了,我最不愿意看到他们杀了你,而单独把我留下。"

泰山没有回答,因为琴恩说的正是他心中想的。他也担心他们不会杀她,而更残酷地蹂躏她。泰山试着挣扎了一下,他被绑得十分牢固,看来是很难挣脱。泰山身旁的一个祭司见泰山挣脱不开,露出了幸灾乐祸的笑容。

琴恩在旁边看到这一切,不由得骂道:"这群野兽!"

泰山只说了一句话来回答琴恩:"我还活着呢!"

琴恩毕竟是一个女人,她没有泰山那样视死如归的勇气。但她心里此时知道,只要到了正午,泰山就要死在祭坛上!这是泰山被押进来时,曾经告诉过她的。泰山还告诉她,自己的死刑将由奥伯葛茨宣判并执行。她明白泰山知道就要死了,可他还是威严地站在那里,脸上毫无惧色。

琴恩看他身体站得笔直,比所有的人都更有尊严。但是这样一个人,将要死在一群野兽一般的人手中,这是多么不公平!她甚至想到,是否可以向仇人提出要求,他的死由她来代替。她明明知道这个要求提也是白提,也许会招来一阵嘲笑或奚落,想到这里,她又看了泰山一眼,耸了耸肩。最后,鹿顿和裸体的奥伯葛茨进来了,他俩走到祭坛的后面,鹿顿站在奥伯葛茨的左边。他低声在奥伯葛茨耳边嘀咕几句,又向约东那边点了点头。只见奥伯葛茨不以为然地望了鹿顿一眼,高声说:"先处死那个冒充真神儿子的家伙,再来处死这个叛徒!"

他说第二句话时,指了指约东。他又望了望琴恩。

鹿顿问:"那么,怎么处置那个女人呢?"

奥伯葛茨说:"先杀了这两个再说,至于那个女人……"他停顿了一会儿,接着说,"今天晚上,真神还有话要对她说呢!"

奥伯葛茨说完,抬头看了看太阳,对鹿顿说:"时间到了,可以开始举行祭神仪式了!"

鹿顿阴沉着脸,点点头,其实他对先杀泰山再杀约东是有意见的,只是在圣殿上当着众多祭司不便和奥伯葛茨争吵罢了。奥伯葛茨则心怀鬼胎,他认为杀死泰山才能除掉最大的心病。

这时,祭司们过来,把泰山扛上了祭坛。泰山被仰面放在祭坛上,头朝南,脚朝北,离琴恩只有几英尺远。琴恩悲愤至极,乘他们不备,奔到泰山头前,吻着他的额头,低声说:"约翰!请在天堂等我!"

"我们会见面的。"泰山也含笑说。

好几个祭司奔过来,拖着琴恩,要把她拖到一边去。鹿顿把圣刀递给了奥伯葛茨。奥伯葛茨把刀接到手里,满脸杀气地高叫道:"我是至高无上的真神!我有无边的权力,我有权力杀死我的仇人!"

说着,他又抬头看了看太阳,把刀高高举过头顶,又歇斯底里地高叫起来:"现在我要杀死这个亵渎真神的罪人!"接着他又是一阵狂笑。

当他正要把刀刺下去的时候,不知从哪里突然发出祭司们和武士们从未听过的尖锐的怪声,随后,只见那位自称是真神的人倒在泰山身上,他手中的刀子扔在了一旁。接着,那怪声又响了一下,这次倒下去的是鹿顿。等那怪声第三次发出的时候,莫撒也倒在地上,一动不动了。这三下怪声几乎是连续发出的,没有多大的间隔。等大家回过神来的时候,不由得都转身往发出声音的西墙上望去。

在庙宇的墙头上,他们看见了两个人:一个是荷丹族的武士;另一个是半裸体的人,他的装束和泰山一样。在他腰上和肩上,有宽宽的带子,上面插着些晶亮发光的东西,在日光照耀下,一闪一闪的。这个人的手里还握着一根木质和金属合制的东西,一端还冒着蓝烟。

那位荷丹族的武士见人们都向他们望来,才高声对仰头望着他们的人说:"这位是死亡的信使,是天上的真神派来的。你们快给俘虏松绑!给真神的儿子解去绑绳,绑他是罪过!同时,也给帕鹿顿的新王约东松绑,约东任帕鹿顿的新王,是真神的意旨。给那个女人也松绑!大家必须尊敬她,她是真神儿子的眷属。"

潘撒特此时惊恐万状,他明白大势已去,无力回天了!所有这些恶事,他都是参与了的,自知性命难保。他想,与其被仇人抓住,束手待毙,还不如先杀一个垫底,自己死得也够本儿。于是他悄悄爬到祭坛边,正伸手想去抓圣刀,哪知站在墙头上的那位死亡的信使眼疾手快,举起了手里的那个怪东西。一声怪响过后,潘撒特也应声倒下,正好倒在鹿顿身旁。这死心塌地的狗奴才,也跟随他的主人一同去了。

这时,约东高声说:"快速住所有的祭司!他们都是跟着鹿顿干坏事的,一个也不能放过!哪一个祭司如果敢抵抗,真神派来的死亡信使,一定会用闪电打死他们!"

武士们和民众们似乎一下子被约东的话提醒了,刚才发生的事,他们都亲眼看到了。事实证明,鹿顿的话是骗人的,约东所说的真神的儿子是可信的,更何况塔丹又和真神的使者——死亡信使及时赶到了这里,这不是真神的意旨又是什么呢?武士们即刻聚拢过来,把那些祭司团团围在中心。

正在这时,只见又有大队的武士向这里冲来。这些冲来的武士中,不但有塔丹率领的荷丹族武士,还有不少全身长着黑毛的华丹族武士,他们都是由狮子谷的新酋长欧马特率领来的。现在,塔丹和欧马特两个人正站在墙头上,和那个手执怪东西的人站在一起。

一个刚好站在祭坛前的武士用刀割断泰山身上的绑绳,泰山接过刀,也替琴恩和约东割断了身上的绑绳。他们三个人并排站在那里,看着大队武士向前拥来,心情都很高兴。一场杀人的惨剧被制止了,武士们在庆贺帕鹿顿的新王约东。

琴恩仔细看着墙头上背枪的那个人,怎么看怎么像杰克,可是她怎么也不能相信杰克会来到这里。正在疑惑间,只见墙头上那个人把枪往肩头上一背,张开双臂飞一般地跑来,抱住琴恩哭诉道:"我亲爱的妈妈!你和爸爸让我找得好苦啊!"

琴恩也伏在他的肩头上哽咽着:"杰克!我的儿子啊!"

泰山也跑过来抱住了他们母子俩。在这幸福的一刻,帕鹿顿的新王约东率领他的武士和人民,都向他们三个人跪了下来,额头触地。这个动作,既是对他们三个人的感谢,也是对他们三个人的祝福。

杰克怎么会及时来到这里呢?原来,欧战结束后,杰克回到了伦敦,听妻子梅林说,许久没得到在非洲的父母的消息了,所以决心到非洲去探寻他们的下落。不料,到了父母居住的庄园上一看,那里竟成了一片焦土!庄园里一个人也没有,他和梅林经常徘徊的那座有回廊的别墅也只剩下断瓦残垣了。

杰克不知道这里到底发生了什么事。于是,他只好找到驻扎在非洲的英军司令部去问个究竟,说来也真是凑巧,在司令部里正好找到刚刚结婚的哈尔罗·史密斯和奇翠儿·史密斯夫妇。他们不但告诉了约翰·格雷斯托克爵士那段出生入死的奇特经历,而且还告诉他,他的父亲从德军军官的日记中得知夫人没有死,就向非洲腹地去追寻了。于是杰克也一路追踪而来,经过艰苦跋涉,穿过那一片危险的沼泽地和荒野,也来到了帕鹿顿。

在帕鹿顿的地界里,他先后遇见了塔丹和欧马特,他们也向他提起曾见到过一个自称人猿泰山的人,而且向他述说,这个人不但侠肝义胆,见义勇为,而且本事非常大,没有什么他办不到的事。

塔丹和欧马特见这个人装束、神情和生活习惯都很像泰山，就向他问起来此的缘由，杰克就向他们详细说明了前后情况，他们敬重杰克就像敬重泰山一样。

杰克和塔丹、欧马特三个人，最后打听到泰山可能在阿卢尔城，于是塔丹和欧马特就率领各自的武士陪杰克一起来了。他们到的时候，也正是泰山命悬一发的时候。幸亏杰克及时赶到，并且用一路上就算有生命危险都舍不得用的枪弹，救下了自己的父母。

这也真是一段奇缘巧遇，一家人经过生死磨难，终得天从人愿的大团圆喜剧！

二十五
归　程

鹿顿和莫撒死后，帕鹿顿的各个酋长便带着他们的武士聚集在阿卢尔城王宫的御室里，举行庆祝新王登基的盛大仪式。约东也像过去的大王一样，坐在黄金塔上，一边站着泰山，另一边站着泰山的儿子杰克。武士们在这神圣的盛典上，都高高举起手中的短棍宣誓：从今以后，一定忠于新王。

新王约东派自己的贴身武士到猞鹿，把欧拉公主和潘纳特丽接来，同时，也把自己的家眷接来。

在这个盛典上，除了庆祝仪式之外，酋长们还讨论起今后帕鹿顿在行政上需要修改的地方。大家都提到了该怎样处理庙宇里的祭司的问题。

多数人主张，今后不准祭司们再掌大权，因为根据长期以来的经验，祭司们只知道扩充自己的势力和王室分庭抗礼。可是讨论来讨论去，还是众说纷纭，莫衷一是。约东见讨论不出一个结论来，只好转身对泰山说："看来，大家讨论不出结果来，那么就请真神的儿子来决断吧！我们相信真神的儿子会秉承真神的意旨，来处理人民的事务的。"

泰山稍一思索，便胸有成竹地说："这个问题很简单，那些祭司确实不干好事，他们只知道扩充自己的势力，和王室争权夺利，根本没把真神放在眼里。他们天天以祭神为名，长期屠杀无辜百姓，这实际是诬蔑真神的行动。今后应该取消他们的资格，从今天起，不许他们再管理庙宇。以后帕鹿顿庙宇里的日常事务，可以由女人来管理，因为女人大多细心，而且心地善良，她们一定会真心实意地为真神办事的。西边祭坛上的水可以汲干，用它把东边祭坛上的血污彻底洗净。这个做法，我过去对鹿顿建议过，可是他不接受，以至于今天他自己遭到报应。在庙宇里，如今还囚禁着许多备用的祭神的百姓，必须把他们赶快放出来，还他们自由。而且，不只限于这一座庙宇，就是全帕鹿顿境内，各个城中的庙宇，所有的俘虏，一个不留，全都释放。今后，给真神的供奉，只需选你们人民喜欢的礼品放在祭坛上就可以了。真神领受了这些供奉，一定会降福给你们的。"

大家听了都心悦诚服，欣然接受。因为鹿顿平日的作威作福、残忍杀戮，已经惹得大家怨声载道了，只是慑于鹿顿的势力太大，没人敢惹他，只好敢怒而不敢言。现在，真神的儿子既然这样明确地吩咐了，所以大家都欢呼雀跃起来。

酋长中有一个人高声说："那些祭司个个罪行累累，我认为应该让他们受极刑，也把他们处死在祭坛上，以补偿他们过去杀人的罪恶，我们愿意听听真神的儿子的吩咐。"

泰山也高声回答说："这样做是不必要的，我们不能以其人之道，还治其人之身。今后再不容许庙宇里有流血事件发生。所有的祭司们，一律给予自由，让他们自己另选职业，弃恶从善，好好度过他们的后半生。"

对此,大家无不报以热烈的掌声,同声赞美真神的儿子慈悲为怀。

那天晚上,阿卢尔城的王宫里举行了盛大宴会。帕鹿顿境内,华丹族和荷丹族这黑白两个民族解除了长期以来的敌对情绪,共同饮酒作乐,这是多年以来从未有过的事。约东和欧马特在宴会上签署了友好协定,两族之间永远保持和平,互助互利。

泰山在宴会上问起塔丹,为什么不准时来增援进攻王宫。塔丹回答说,曾有一个使者从战地跑来,说是约东派他来传话的,让塔丹在中午之前千万不要进兵。塔丹以为这真是约东的命令,于是按兵不动,后来发觉是被愚弄了。后来他捉住那个使者,把他处死后才向王宫飞奔来增援,正好扭转了局势。泰山听了,才知道塔丹之所以贻误战机,是有人搞破坏所致。

第二天,欧拉公主、潘纳特丽和约东的家眷来到阿卢尔城,塔丹和欧拉、欧马特和潘纳特丽同时举行了婚礼。喜事连连,全城人都非常高兴,自然又是一天的欢宴。

一个星期以来,泰山、琴恩、杰克,还有欧马特和他的黑武士们,都受到约东极其盛情的款待。后来,泰山提出,他们准备离开帕鹿顿了。阿卢尔城里的人虽然有些舍不得他们,但又认为真神是应该云游天下的,而不应该总待在他们这一个地方。所以他们不敢过分挽留。

到临别的这一天,大家都热情地欢送真神的儿子和他的妻儿。泰山等三人向山谷走去,由塔丹率领的一队荷丹族的武士沿途护送,欧马特也选了一队精锐的黑武士跟着护送。

约东率领武士和百姓把他们送出阿卢尔城,然后才恋恋不舍地握手道别。泰山仍用真神的名义向他们祝福,可约东他们还是站在那里不肯回去。直到泰山一家人和护送队伍转入树林,他们才回阿卢尔城去。

泰山等人在狮子谷休息了一天。这一天里,琴恩参观了当地人居住的山洞,觉得别致有趣。第二天他们又继续上路,一路上有荷丹族和华丹族的武士护送,十分安全。但是在这些武士们的心里却藏着一个疑问:这三个人怎么涉过那一大片沼泽地呢?看看泰山,见他仍旧是神态自若,似乎并不在乎前途有什么艰险。

其实,泰山心里也明知道前面有沼泽地,但他总觉得,在他生活过来的这几十年里,还没遇到过什么克服不了的困难。他心里想,来的时候既然能够越过沼泽地,那么,回去的时候也总会有办法过去的。他在内心里还有一个希望,但并没对琴恩和杰克说,那就是:但愿能再撞见一头格雷夫。

一天早晨,他们来到了沼泽地前。他们收拾起帐篷,准备启程。忽然从最近的山谷里传来了一声沉雷一样的吼声,泰山听了,脸上马上露出笑容,他知道,他所切盼的东西真的来了。有了这个巨大的坐骑,他们一家三口可以轻松地走出帕鹿顿地界。这时,他拿起了琴恩亲手做的那根长矛,觉得它比什么都宝贵。他笑着对琴恩说:"这真是光荣的纪念品!足以给我们的家族增光,把它带回去,放在壁炉架上,可以在朋友面前炫耀呢!"

那一声可怕的咆哮声,使得华丹族和荷丹族的武士们害怕极了。其中有些武士曾跟着泰山从约东的营地到猹鹿城去,他们都直直地盯着泰山,看他有什么神力来对付这个谁也对付不了的东西。至于欧马特部下那些华丹族武士,都忙着爬上大树逃命。

格雷夫是帕鹿顿人最惧怕的野兽。虽然这里有大队的武士，可是谁也不敢跟它较量，他们知道格雷夫有铠甲一样的厚皮，刀砍不动，长矛刺不进，如果用木棍去敲它，就好像敲在坚硬的石块上一样。他们听见这吼声，都没命地逃跑。泰山见他们怕成这个样子，笑道："别慌呀！你们等着看！"

泰山手持长矛向格雷夫走过去。他学着过去图尔欧顿所用的办法，向格雷夫高声叫道："咳啊！咳啊！"

那格雷夫马上顺从起来，一声也不叫了。泰山按以往的经验轻松地降服了格雷夫。

泰山等格雷夫转过身来，便揪住它的尾巴，让琴恩和杰克先上去，然后自己也跳到了格雷夫的背上。就这样，他们安然渡过了大片的沼泽地，其他的爬虫和兽类见了，都跑得远远的。

到了沼泽地的对面，他们转过身来，隔着沼泽地向塔丹、欧马特和黑白两队武士们挥手告别。然后，泰山等三个人乘着格雷夫又向北走了相当一段路。泰山料想荷丹族和华丹族的武士已经走远了，才从格雷夫身上下来，叫它掉转头，返回帕鹿顿去。泰山在它背上打了几下，看着它向帕鹿顿奔去。

泰山又回头遥望了一阵帕鹿顿这个山清水秀的地方。这里特有的爬虫和异兽，以及直爽可爱的荷丹人和华丹人，都深深地留在了他的记忆里。

泰山一家三口继续向北走，他们在遥远的归程上说说笑笑，愉快地前进着。他们越往前走，离家越近。虽然他们原来的庄园被焚毁了，可是只要他们都健在，在不久的将来，一定会筑起一座比原来更加美好的庄园。